Middernachtsberg

Jean-Marie Blas de Roblès

Middernachtsberg

Vertaald door Karina van Santen
en Martine Vosmaer

AILANTUS

AMSTERDAM 2011

Ouvrage publié avec le concours du Ministère français chargé de la Culture –
Centre national du livre.
Deze uitgave kwam tot stand met steun van het Franse ministerie
van Cultuur – Centre national du livre, het Franse ministerie van
Buitenlandse Zaken, het Institut Français des Pays-Bas / Maison
Descartes en de BNP Paribas.

De vertaalsters ontvingen voor deze vertaling een werkbeurs van het
Nederlands Letterenfonds.

Het gedicht 'Een kadaver', opgenomen op pagina 153-155, is
afkomstig uit *De mooiste van Charles Baudelaire*, in de vertaling van
Jan Pieter van der Sterre, Lannoo / Atlas, 2010.

Oorspronkelijke titel *La montagne de minuit*
Copyright © Zulma, 2010. In overeenstemming met Literary Agency
Wandel Cruse, Parijs
Copyright Nederlandse vertaling © 2011 Karina van Santen en
Martine Vosmaer / Uitgeverij Ailantus
Omslag Studio Ron van Roon
Omslagbeeld iStockphoto
Binnenwerk Steven Boland
Foto auteur Michel Diedisheim
ISBN 978 90 895 3064 6 / NUR 302
www.ailantus.nl
www.clubvaneerlijkevinders.nl

Twee vogels, in vriendschap met elkaar verbonden,
hebben hun huis in dezelfde boom gemaakt.
Eén van de twee pikt van de zoete vrucht,
de ander kijkt alleen maar toe.

MUNDAKA-UPANISHAD

I

Hij was een jeugdige oude heer, de conciërge van het Saint-Luc-lyceum, zo'n namaakbejaarde met een kindergezicht, voorzien van pruik en slordig geschminkte rimpels om de ogen. De leraren zeiden meneer Lhermine, de hermelijn, de leerlingen noemden hem de Wezel. Een Lyonees die bij het meubilair hoorde, een arme drommel van wie niemand had kunnen denken dat hij in Berlijn zou sterven, zo dicht bij het schandaal dat zijn leven had ontwricht.

Op een mooie decemberdag werd Bastien Lhermine zoals altijd tegen vijf uur 's ochtends wakker. Hij opende zijn ogen alleen om te ontsnappen aan een steeds terugkerende nachtmerrie, een plotselinge stortbui van spijkers en vlees die hem inmiddels geen angst meer aanjoeg, maar wel een melancholieke schaduw over de eerste ogenblikken van zijn dag wierp. Hij stond op, vouwde netjes zijn beddengoed op, rolde zijn oude bamboemat op en begon aan zijn tai chi-oefeningen.

Vooral de serie die 'Witte ooievaar spreidt vleugels' wordt genoemd beviel hem goed, hij genoot van het raffinement van de verschillende houdingen, de vloeiende traagheid die vereist was om ze aan te nemen zonder belachelijk te worden. Bastien stond naakt in zijn kleine tweekamerappartement aan de Rue d'Auvergne 6, de ramen open naar de eerste fonkelingen in het duister van de Fourvière-heuvel, en hij had geen spiegel nodig om de elegantie van zijn bewegingen te voelen. Aan de energie waarmee zijn hele wezen tijdens de oefening werd opgeladen voelde hij dat hij ze goed uitvoerde. Maar die dag bleek de gymnastiek minder effectief dan anders: de veranderingen in het bestuur van het lyceum raakten Bastien dieper dan hij durfde toe te geven. De pensionering van pater Fargeot was zeker gerechtvaardigd door zijn hoge leeftijd, maar iedereen was het erover eens dat het een overname door de jonge garde van jezuïeten betekende. Het instituut was, net als het gebouw waarin de conciërge woonde, eigendom van de Sociëteit van Jezus, en hoewel Bastien zich daar tot nu toe gelukkig om had mogen prijzen, dreigde de komst van de nieuwe rector roet in het eten te gooien. Pater Metz droeg geen soutane en was zo elegant gekleed dat zijn witte boord en het minuscule kruisje op de revers van zijn colbert eerder opsmuk dan tekenen van zijn ambt leken. Bij zijn aantreden gisterochtend had hij erop gestaan alle mensen die in de aula van het lyceum verzameld waren een voor een te begroeten: de leraren, de administratieve dienst en zelfs de schoonmaaksters werden vereerd met zijn handdruk, vergezeld van een beminnelijk woord. Bastien wist niet wat de rector tegen de anderen had gezegd, maar hem was de zelfingenomen vriendelijkheid van de man opgevallen, en de flemende, onverdraaglijk zoetsappige toon die bij minachting voor ondergeschikten hoort. Toch was er niets wat ook maar de minste angst had kunnen rechtvaardigen, afgezien van de venijnige blik die juffrouw Chubileau, die oude taart van de administratie, hem had toegeworpen. Bastien had erin gelezen dat ze in de startblokken stond om de vijandigheden tegen hem te hervatten, nu hij door het vertrek van pater Fargeot geen bescherming meer had binnen het lyceum. Diezelfde middag had hij haar voor het kantoor van de rector aangetroffen; uit haar betrapte blik toen ze hem zag – het soort gêne waarin een slecht geweten het aflegt tegen het gevoel een plicht te vervullen – wist hij dat ze geen seconde had gewacht om haar gal te spuwen. Even later was de secretaresse van pater Metz Bastien komen opzoeken: de rector wenste hem te spreken, morgenochtend om negen uur, als het schikte.

Tegen de vensterbank geleund dacht hij over dat alles na. De dag brak aan boven de Fourvière-heuvel, en langzaam begon het reliëf van het vertrouwde uitzicht zich af te tekenen: links Saint-Just, veraf maar herkenbaar aan de ramen die nog van binnenuit verlicht waren, dan het aangrenzende massief van het oude klooster van de Miniemen, de dalen van de Romeinse theaters, net boven de Antiquaille, en ten slotte de Notre Dame-basiliek, geflankeerd door haar eigen Eiffeltorentje. Tegen de hellingen waren nu de verschillende lagen rode daken boven elkaar te onderscheiden, de groepjes platanen of cipressen, de vlakken saffraankleurige muur, allemaal dingen die flakkerden in het ontluikende licht en dit deel van de stad het aanzien van een oeroude citadel gaven. Dit uitzicht verveelde Bastien nooit, een soort luchtspiegeling die op zijn mooist was als de zon opkwam. Op fraaie winterdagen, zoals de dag die zich aankondigde, wanneer de eerste zonnestraal de Byzantijnse massa van de Notre Dame raakte, de muren wit kalkte en de gekartelde torens tegen het diepblauw van de hemel aftekende, verloor de heuvel zijn logheid van een liggende olifant. Het goud van de Maagd vlamde op de top van het gebouw, en ondanks de aanwezigheid van een televisiemast die het uitzicht enigszins bedierf, kreeg het geheel iets oosters: om eerlijk te zijn vond Bastien dat het eruitzag als een Tibetaanse tempel, zodat hij dit moment nooit beleefde zonder te voelen hoe zijn verlangen om op een dag de terrassen van het Potala-paleis te zien werd aangewakkerd. Die geheime droom was geen bevlieging, het was zijn zoektocht, zijn diepste verlangen, het enige stukje dat ontbrak aan de bespottelijke puzzel die we een mensenleven noemen. Bastien wist heel goed dat hij nooit in de gelegenheid zou zijn om naar Lhasa te gaan – ondanks zijn bescheiden behoeften kon hij nauwelijks rondkomen van zijn karige conciërgesalaris – maar hij leed niet zozeer onder die onmogelijkheid als wel onder het feit dat hij zichzelf opnieuw op die wens betrapte, een bewijs dat hij nog ver verwijderd was van zijn boeddhistische ideaal.

2

Toen hij wat later die ochtend op de overloop van de vierde verdieping kwam – om zichzelf tot lichaamsbeweging te dwingen nam hij nooit de lift – trof Bastien daar de jonge vrouw die in het appartement onder hem woonde. Op haar hurken, voor zover haar strakke rok dat toeliet, probeerde ze de jas van haar zoontje dicht te knopen, terwijl ze in haar handtas naar een zakdoek grabbelde en foeterde omdat ze plotseling voor zich zag hoe ze haar autosleutels op het plankje boven de wastafel in de badkamer had laten liggen.

'Goedemorgen,' zei Bastien vriendelijk. 'Niet al te vroeg, zo te zien…'

'Niet echt, nee. Ik weet niet hoe ik het klaarspeel, maar het is elke dag dezelfde komedie. Hou op, Paul! Sta stil als je wilt dat ik je aankleed… Je zou niet zeggen dat je al vijf bent, hoor! Wat moet meneer Lhermine wel van je denken? Ik hoop echt dat u niet al te veel last van hem hebt…'

'Ik hoor hem nooit, maakt u zich geen zorgen. En bovendien! Kinderen moeten nu eenmaal bewegen, zo is het leven…'

Rose Sévère was nog maar kortgeleden in het gebouw komen wonen, en voor zover Bastien wist, alleen met haar zoon. Ze was een mooie vrouw van rond de veertig, rossig, met hazelnootbruine ogen en een vrij opvallend schoonheidsvlekje onder haar linkerneusvleugel. Hij zou haar graag beter leren kennen vanwege het zachtmoedige verdriet dat uit haar blik straalde, maar omdat ze even weinig toeschietelijk was als hij, beperkte hun omgang zich tot beleefdheidsgesprekjes.

Toen hij eenmaal in het portaal op de begane grond stond, controleerde Bastien of de twee grote openslaande houten deuren naar de Rue d'Auvergne op de juiste manier waren vastgezet en liep toen terug naar het elektrische hek dat toegang gaf tot het parkeerterrein van de leraren. Hij nam zelf het klaphekje, wurmde zich tussen een paar geparkeerde auto's door en belandde rechtstreeks op de binnenplaats van het Saint-Luc-lyceum. Dat was tegelijkertijd het voordeel en het nadeel van zo dicht bij zijn werk wonen: het kostte hem geen tijd om naar het lyceum of naar huis te gaan, maar het maakte ook dat hij nooit rust had. Volgens het morele contract dat hem aan pater Fargeot had gebonden omvatte zijn taak als conciërge ook het toezicht op de gebouwen tijdens de vakantieperiodes; dat was de belangrijkste reden waarom hij die twee vensters aan de binnenplaats met vrij uitzicht op het lyceum had gekregen. Al die jaren had Bastien aan zijn post gekluisterd gezeten dankzij de barmhartigheid van zijn weldoeners, maar hij beklaagde zich niet, omdat hij vond dat zijn opsluiting in zekere zin rechtvaardig was, en als het ware de noodzakelijke basis voor zijn evenwicht.

Om negen uur precies werd hij binnengelaten in het kantoor van de rector, en uit diens ontwijkende reactie maakte hij op dat dit evenwicht verstoord zou worden.

'Goedemorgen, meneer Lhermine, gaat u zitten, alstublieft. Wat ik u te zeggen heb is niet aangenaam, ik zal het dan ook zo kort mogelijk houden. Mijn voorganger stond erop mij uw situatie uiteen te zetten. Hij heeft me alles verteld, vanaf het begin, en dan bedoel ik alles… U begrijpt waar ik op doel, neem ik aan?'

'Ik begrijp het,' zei Bastien zonder zijn ogen neer te slaan.

'Goed. Het is niet aan mij om over u te oordelen, en dat zal ik ook niet doen. Pater Fargeot heeft het zo goed voor u opgenomen dat ik besloten heb de geruchten die sommige brave lieden over u verspreiden naast me neer te leggen; ik was zelfs bereid mijn ogen te sluiten voor de regeling die u aan zijn mededogen te danken hebt, maar toen ik mijn dossiers doornam, stuitte ik op uw geboortedatum… U bent inderdaad in maart 1916 geboren?'

'Ja, meneer de directeur.'

'U weet dus dat u al geruime tijd met pensioen had moeten zijn. Wat u misschien niet weet, is dat pater Fargeot wettelijk gezien niet het recht had u onder die omstandigheden in dienst te houden. Ik ben hier om wat orde te scheppen in het lyceum, u begrijpt dat de wet naar de letter dient te worden nageleefd…'

'En dat houdt in?'

'En dat houdt in, meneer Lhermine, dat het de hoogste tijd wordt om aan rust te gaan denken. Uit achting voor pater Fargeot, en om de lopende begroting niet te doorkruisen, zullen we van uw diensten gebruik blijven maken tot het eind van het schooljaar. Uw opvolger zal u begin juni vervangen, ik reken op u om hem in te werken. De aannemer die de woning waar u verblijft gaat opknappen begint pas op 1 augustus, dus u hebt' – hij telde in zijn hoofd – 'acht maanden om maatregelen te treffen.'

'Neem me niet kwalijk,' wist Bastien uit te brengen, 'maar pater Fargeot heeft misschien nagelaten u de precieze aard van mijn inkomsten mee te delen… Ik bedoel, als u me het appartement afneemt, zal ik geen ander kunnen huren. Nergens.'

'Daar wilde ik het nog over hebben. Pater Fargeot heeft zijn contacten gebruikt om voor u een plaats te bemachtigen in Résidence Louis Pradel aan de Boulevard de la Croix-Rousse. U kunt zich daar aanmelden met de aanbevelingsbrief die u tegen die tijd overhandigd zal worden.'

'U stuurt me naar het bejaardentehuis…'

'Dat vooruitzicht heeft niets vernederends. Pater Fargeot is zelf naar de Rue de Grenelle in Parijs gegaan, naar een soortgelijke instelling die door de Sociëteit wordt onderhouden. En hij is jonger dan u, als ik me niet vergis.'

Toen Bastien bleef zwijgen, keek de rector op zijn horloge en stond op:

'Juist. Het spijt me werkelijk dat ik u onder deze omstandigheden moet leren kennen, maar u ziet hopelijk in dat u meer verschuldigd bent aan dit lyceum en aan onze orde dan andersom. Hoe dan ook, houd voor ogen dat het niet persoonlijk is en dat mijn gebeden u vergezellen.'

De aankondiging van zijn ontslag wekte bij Bastien geen neerslachtigheid of verontwaardiging. Het was alsof er een ziekte bij hem werd geconstateerd waarvan hij al wist dat hij hem onder de leden had. Hij wijdde zich met zijn gebruikelijke ernst en efficiëntie aan zijn taken, en ging tegen het vallen van de avond naar huis, een uur nadat de laatste schoonmaakster het gebouw had verlaten.

Op 8 december wordt in Lyon het zogenaamde *Fête des Lumières* gevierd. Na het vallen van de avond steken alle inwoners kaarsjes aan in hun vensterbank, waardoor de hele stad in een flakkerende luchtspiegeling verandert. Bastien had altijd met veel plezier meegedaan aan dit aardige ritueel. Hij brak niet met de traditie maar zette zijn eigen waxinelichtjes op een rijtje, en zwaaide terug naar de jongetjes aan de overkant die van achter hun verlichte vensters gebaarden. Toen hij besefte dat hij dit waarschijnlijk voor het laatst deed, zuchtte Bastien onwillekeurig. De volgende zomer zou zijn leven een nieuwe wending nemen, zou het zo van richting veranderen dat hij zich met recht kon afvragen of de toekomst die voor hem was uitgestippeld de moeite waard was om geleefd te worden. Op de een of andere manier was het antwoord op die vraag een krachtig en onherroepelijk nee.

Bastien maakte een salade en warmde een restje witte rijst met boter en gruyère op. Hij at aan een hoek van de aanrecht, zonder de moeite te nemen te gaan zitten, omdat hij plotseling haast had om verder te gaan met zijn mandala. Hij zou niet kunnen zeggen wat hem zo aantrok in die structuur, maar hij tekende haar al sinds zijn jeugd, voordat hij de betekenis van die cirkelvormige, veelkleurige geometrie kende. De eerste die hij ooit had gezien bevond zich op de Tibetaanse afdeling van het Musée Guimet en stelde het wiel van de tijd voor: een soort verstrengeling van concentrische cirkels en rechthoeken, een heldere kleurentekening vol raadselachtig schrift, monsters en naakte lichamen. Bastien was als kind in dit labyrint doorgedrongen en er nooit meer uitgekomen.

Die figuren had hij sinds die eerste confrontatie ontelbare keren gekopieerd of herhaald. Een mandala van zand maken was van een geheel andere orde. De kleinste vergissing in een lijn of kleur kon dramatische gevolgen hebben voor het karma. Bastien was er pas in de lente van dat jaar aan begonnen. Zijn taak was nu bijna voltooid, maar hij ging steeds langzamer werken, gedreven door een soort onrust, een combinatie van verlangen naar het einde en angst voor de leegte die het gevolg daarvan zou zijn. Het gebruikte zand was allemaal afkomstig van zijn wandelingen door de stad: de rode oker was verzameld op de Place Bellecour, het geel en wit bij willekeurige bouwplaatsen, het blauw kwam van de bodem van een aquarium dat bij het grofvuil was gezet. De andere kleuren of nuances kwamen voort uit een subtiele vermenging van die vier basiskleuren.

Ondanks zijn verlangen om niets te veranderen aan de discipline van zijn dagen, hield Bastien na een kwartier op met werken. Het lukte hem niet zich voldoende te concentreren om de gevolgen van zijn onderhoud met de directeur van zich af te zetten. Toen hij weer overeind kwam, zijn rug geradbraakt door het gebogen staan over de tafel, kwam hij plotseling op het idee om alle kinderen uit het gebouw voor een kerstfeestje uit te nodigen. Zo zou hij de vernedering met een offer beantwoorden. Hij zou speelgoed kopen bij de *Nain Jaune*, kilo's snoepjes, chocola bij Weiss, het beste van het beste om een theepartijtje aan te richten dat de kleintjes nog lang zou heugen. En alles zou goed komen.

Bastien stelde een uitnodiging op, stak een rol plakband in zijn jaszak en liep naar beneden om het papier op de glazen deur van de vestibule te plakken. Toen hij het doffe gedreun van het feest hoorde, ging hij het gebouw uit, vastbesloten om de geur van deze bijzondere avond op te snuiven. Overal was de opwinding die over de stad heerste voelbaar: de haast waarmee mensen naar het tumult op de boulevards dromden, de echtparen voorzien van een span kinderen met lampionnen in hun knuistjes, een glinstering in hun ogen door de duizenden kaarsen in de donkere muur van gevels. De muziek kwam van het Square Ampère, een studentenorkest speelde Afro-Cubaanse ritmes. Op de Cours Victor Hugo stroomde de menigte trager, als geleid door de lichtjes van de Notre Dame de Fourvière in de verte. Bastien liet zich meevoeren om er vervolgens met een gevoel van genot in op te gaan.

Midden op de Pont Bonaparte, vlak na de Place Bellecour, hadden twee slimme meisjes een katrollensysteem geïnstalleerd waarmee kaarslantaarns met berichten op de Saône konden worden neergelaten. Mensen verdrongen zich rond een tafel om er wat kleingeld achter te laten en hun geheime wensen aan de willekeur van de rivier toe te vertrouwen. In een opwelling schreef Bastien twee regels op een van de papiertjes die voor het publiek klaarlagen, en vouwde het in vieren voordat hij het teruggaf aan het glimlachende meisje dat dit nieuwerwetse kraampje dreef. Hij keek hoe ze zijn biljet in een glazen yoghurtpotje stopte en er een aangestoken kaars op zette. Zijn potje ging bij een stuk of vijftien andere identieke houdertjes in een ijzeren kooi waarvan aan één kant de spijlen waren weggehaald. Het ding werd vervolgens neergelaten, steeds langzamer, tot het het water raakte en zijn vloot van lichtwensen in de stroom losliet. Bastien keek hoe ze wegdreven terwijl hij zich ontroerd afvroeg wat al die vertrokken dromen zouden bevatten in plaats van het beeld van het Potala-paleis.

3

Toen ze de volgende ochtend de lift uit kwam, zag Rose mevrouw Bretèche voor het briefje staan dat Bastien had opgehangen.

'Hebt u dat gezien?' vroeg ze met een gebaar naar de glazen deur.

'Goedemorgen, mevrouw Bretèche,' antwoordde Rose op vriendelijk verwijtende toon. 'Wat moet ik gezien hebben?'

'O, neem me niet kwalijk… Ik ben zo uit mijn doen dat ik vergeet u te begroeten. Kijk dan, kijk dan wat die oude vrek heeft bedacht!'

'Het lijkt me heel vriendelijk van hem,' zei Rose nadat ze het bericht van de conciërge had gelezen. 'Het is vooral zo aardig omdat hij vast niet in het geld zwemt. Als alle kinderen uit het gebouw bij hem komen, dan moet hij flink in de bus blazen… Heeft hij nog nooit zo'n soort feestje georganiseerd?'

'Nee, het is voor het eerst in dertig jaar. Dat is juist zo vreemd… Maar maakt u zich geen zorgen, er komt niemand.'

'Hoezo niemand? Ik ben van plan Paul mee te nemcn en ik weet zeker dat de buren op mijn verdieping hun kinderen zullen sturen…'

'U vergist zich, mevrouw Sévère. U woont hier nog niet lang genoeg om het te weten, maar niemand zou een kind aan die meneer toevertrouwen. En als ik u was, zou ik er ook van afzien.'

'Maar waarom dan?'

'Een oude geschiedenis…'

'Als u iets meer vertelt, helpt dat me misschien om de juiste beslissing te nemen,' onderbrak Rose haar, geïrriteerd door dat geheimzinnige gedoe.

'Het is niet aan mij om u dat te vertellen. Maar goed, u heeft wel in de gaten dat het om een ernstige zaak gaat.' Ze trok een bedroefd gezicht: 'Er zijn dingen die onvergeeflijk zijn, begrijpt u dat?'

Nee, dat begreep Rose niet, maar deze roddelaarster was erin geslaagd de vanzelfsprekende sympathie die ze voor de oude heer van de vijfde verdieping voelde aan het wankelen te brengen. Ondanks de vaagheid lieten de insinuaties doorschemeren dat de conciërge zich schuldig had gemaakt aan een ernstig vergrijp, en onder die omstandigheden wilde zij niet het risico nemen Paultje aan hem over te leveren, al was het voor een theepartijtje.

Dezelfde dag ging Rose tussen twaalf en twee vanuit haar onderzoeksbureau naar de bibliotheek in het Maison de l'Orient. Al een tijdje was werken aan het *Repertorium van Griekse en Romeinse schilderkunst* van Salomon Reinach haar reddingsboei, het enige wat in staat was haar af te leiden van de herinnering aan haar moeder. Ze klampte zich er overdreven aan vast, offerde er vaak zelfs haar lunch voor op.

Toen ze zich nog maar net had geïnstalleerd,

meende ze drie tafels verderop, op de rug gezien, het broodmagere silhouet van de conciërge te herkennen. Hoewel ze ervan overtuigd was dat ze zich vergiste – het was volstrekt onmogelijk dat haar bovenbuurman in zo'n gespecialiseerde bibliotheek zou werken – lukte het Rose niet om te twijfelen aan wat ze zag. Ze wilde er het fijne van weten, en maakte net aanstalten op te staan toen een student haar voor was. Hij liep naar de lezer toe en fluisterde een paar woorden, waarbij hij hem de fotokopie die hij in zijn hand had voorhield. De oude man nodigde hem uit om te gaan zitten en boog zich onmiddellijk over de tekst die de jongen hem had voorgelegd. Rose erkende grif dat ze zich had vergist en een onderzoeker of oude professor voor de conciërge had aangezien, maar toen de man zich driekwart omdraaide om met de student te praten moest ze verbouwereerd constateren dat het wel degelijk meneer Lhermine was.

Ze nam zich voor hem te gaan begroeten, met als voorwendsel dat ze zijn uitnodiging afsloeg, om de reden voor zijn aanwezigheid te achterhalen. Toen ze een uur later opkeek van haar papieren was de conciërge er niet meer. Omdat de student die met hem had gepraat nog steeds aan zijn tafel zat te lezen, gaf Rose toe aan haar nieuwsgierigheid en sprak hem aan, met een leugentje om achter de waarheid te komen:

'Neem me niet kwalijk dat ik je stoor,' zei ze, 'maar ik zag je daarnet met iemand werken, en ik had het idee dat ik vroeger college van hem heb gehad…'

'O nee, hij is geen professor,' antwoordde de jongen, 'niemand weet precies waar hij vandaan komt, maar er zijn niet veel mensen die zoveel van Sanskriet en Tibetaans weten als hij. Als we een superlastige tekst moeten voorbereiden staan ze in de rij om hem van alles te vragen, dat kan ik u wel vertellen…'

Eigenlijk had ze hem op het eerste gezicht herkend, moest Rose later toegeven; maar we hebben zoveel vooroordelen over mensen, we sluiten ze op in zulke krappe kooitjes, dat we verbijsterd zijn als ze daar plotseling aan alle kanten uit blijken te steken. Ik voelde me dom, zou ze later zeggen toen ze me dit verhaal vertelde, ik nam het mezelf kwalijk dat mijn opvatting over die man zo veranderd was, dat hij zo in mijn achting was gestegen, alleen door de magie van zijn kennis van oosterse talen. Ik had de pest in dat ik zo bekrompen was; ik weet nu dat ik daarom, en om mezelf op de een of andere manier te straffen voor mijn verkeerde oordeel, zijn uitnodiging heb aangenomen. Dezelfde avond heb ik een briefje in zijn brievenbus gegooid om te bevestigen dat we naar zijn kerstfeestje kwamen.

Drie dagen voor de afgesproken datum werd er aangebeld en daar stond hij: afgezien van Rose hadden alle ouders het laten afweten. Hij bracht het natuurlijk niet op die manier, hij zei dat ieder zijn bezigheden had, dat het te lastig was om alle kinderen op één dag bij elkaar te krijgen, dat hij zijn feestje daarom liever niet door liet gaan en het geld voor de cadeautjes rechtstreeks aan de kinderen uitdeelde. Aan Rose de taak om voor haar zoontje het speelgoed te kopen waar hij blij mee zou zijn. Er zat tweehonderd franc in de enveloppe, vermenigvuldigd met het aantal kinderen in het gebouw zou dat nu iets van vierhonderd euro in totaal zijn! Rose probeerde vergeefs te weigeren: Bastien stond erop dat zij het geld gebruikte zoals hij had beslist. Hij leek in de war nu hij gedwongen was zo langs de deuren te gaan, maar zijn ogen lieten vooral een oneindige treurigheid doorschemeren. De treurigheid van een drenkeling, dacht Rose, de droefheid van iemand die tot uitzichtloze eenzaamheid is veroordeeld. Voordat hij afscheid nam, boog Bastien zich over naar Paul en vroeg wat hij graag als cadeau wilde. Een piano, antwoordde het kind tot grote verbazing van zijn moeder. Maar de volgende dag nam ze Paul mee naar een warenhuis en liet hem een keybord uitkiezen waarvan de prijs ongeveer overeenkwam met het ontvangen bedrag. Toen ze terug was in de Rue d'Auvergne 6 voelde ze zich verplicht de conciërge uit te nodigen om iets te komen drinken, zodat hij kon genieten van Pauls vreugde om zijn nieuwe speelgoed.

4

Lieve Paultje... Het voelt een beetje dom om je nog zo te noemen – en als de jongeman die je nu bent, zul jij dat ook van je 'oude' moeder vinden – maar zo is het nu eenmaal.

Allereerst, dank je wel dat je me de eerste bladzijden van je roman hebt toegestuurd. Het is een blijk van vertrouwen waar ik heel gevoelig voor ben, dat meen ik. Maar wat moet ik erover zeggen? Ik ben geen goede lezer, in ieder geval niet in jouw ogen, dat weet je. Neem me dus niet kwalijk dat ik me onthoud van een oordeel over je tekst. Het is niet zo dat ik weiger, ik ben er gewoon niet geschikt voor. Dit verhaal is mijn verhaal, en elke regel die ik lees, rakelt het schuldgevoel waarmee het in mijn herinnering is verbonden weer op. Het is, moet ik bekennen, ook beschamend – bijna obsceen zelfs, al is dat een erg sterk woord – om mijn eigen leven zo uitgestald te zien, en het maakt me ook een beetje wrevelig omdat ik het gevoel heb dat het me is afgenomen.

Ik probeer eerlijk te zijn, dat zie je, maar denk niet dat ik het je ook maar een seconde kwalijk neem.

Door je dit gedeelte van ons verleden te vertellen heb ik het zelf aan de verbeelding overgeleverd: de verbeelding van mijn herinneringen, die waarschijnlijk subjectief en onvolledig zijn en waar jij nu iets van hebt gebrouwen voor mensen die zich daarmee onbewust een heel persoonlijk stukje van wat ik ben zullen toe-eigenen.

Het beeld dat je van Bastien schetst, komt heel dicht bij de werkelijkheid: dat is logisch, want ik heb je dat portret in de loop der jaren zelf ingeprent, maar het blijft te vaag om hem recht te doen. Ik alleen ben verantwoordelijk voor die onduidelijkheid. Je neemt het me hopelijk niet kwalijk dat ik het vandaag een beetje bijstel.

Toen meneer Lhermine bij ons kwam, bijvoorbeeld, had hij zich op zijn paasbest uitgedost. In zijn versleten zwarte pak, met de veterdas die uit een brede, gekreukelde kraag bungelde en het zakje chocolaatjes in zijn hand, leek hij een Oost-Europese immigrant. Hij bleef meer dan een uur als versteend op de hoek van de bank zitten zonder zijn vruchtensap aan te raken. Ik kreeg er niet meer dan twee woorden uit, en toen hij vroeg of ik de kerst met mijn familie, met mijn ouders zou doorbrengen, hield ik het zelf kort. Ik zei dat ik al jaren geen vader meer had, maar over mama heb ik gelogen. Ik weet niet wat me bezielde, maar ik heb verzonnen dat ze op bedevaart naar Auschwitz was. Naar Auschwitz, hoe kwam ik erbij! Ik voelde me zo'n idioot dat ik vervolgens over haar verleden in het verzet in Lyon heb verteld als verklaring voor haar wens om het kamp te bezoeken. Een waarheid boven op een leugen, dan lijkt het altijd geloofwaardiger… Ik vraag me nog steeds af of hij me geloofde, maar het had er alle schijn van, en hij begon over de Montluc-gevangenis, over de gewapende militie die in de school van de jezuïetenpaters heeft gezeten, hier om de hoek in de Rue Sainte-Hélène, zodat ik de indruk kreeg dat hij zelf in het verzet had gezeten. Ik kreeg niet de kans hem dat te vragen, want jij kwam met het cadeautje dat je speciaal voor hem had bedacht: een ansichtkaart van de Dalai Lama die je zelf had uitgezocht tijdens onze laatste vakantie. En dat was een schok! Zijn gezicht veranderde totaal, het lichtte ineens helemaal op. De foto trilde tussen zijn vingers, zijn blik ging van jou naar mij, op zoek naar een verklaring. Zijn hele wezen liet zien dat je precies de zin van zijn bestaan had getroffen. Hij werd er bijna spraakzaam van: zonder dat hij er ooit was geweest, was Tibet zijn eeuwige passie, hij had er zijn hele leven aan gewijd; wisten wij wat een mandala was? – en hij richtte zich evengoed tot jou als tot mij toen hij dat zei – het lamaïsme, weet u, is meer dan een filosofie, meer dan een religie, hoe moet ik het zeggen… En een kind dat me deze afbeelding geeft! Ongelooflijk, ik kan het niet bevatten, bleef hij maar herhalen tussen twee mislukte pogingen tot uitleg.

Hij was zo van slag dat hij even zweeg om in één teug zijn vruchtensap op te drinken en vroeg of hij nog eens mocht inschenken.

Kijk, in de loop van de tijd ben ik er steeds meer van overtuigd geraakt dat alles op dat moment in gang is gezet. Vervolgens voelde ik me verplicht hem ook mijn fascinatie voor dat land te bekennen. Op mijn niveau natuurlijk, niet zoals hij – ik heb hem toen ook verteld dat ik hem in de biblio-theek van het Maison de l'Orient had gezien –, bij mij was het vooral vanwege de boeken van Alexandra David-Néel, het soort avontuurlijke reizen dat ik waarschijnlijk nooit zou kunnen maken. Vandaar ons bezoek aan het museum in Digne tijdens de vakantie, en die ansichtkaart waardoor de vlam in de pan sloeg.

'Toch blijft het een teken,' zei hij terwijl hij je hand pakte, 'iets wat voor mij heel belangrijk is. Als u ook maar een beetje belangstelling voor Tibet hebt, weet u dat toeval niet bestaat, er zijn alleen noodzakelijke ontmoetingen.'

Iets wat ik je ook nooit heb verteld: een paar dagen nadat hij bij ons op bezoek was geweest, had ik voor mijn werk een belangrijke afspraak. Een specialiste in Pompejaanse schilderkunst was op doorreis in Lyon, ze had maar twee uur de tijd voor me, halverwege de middag; jij deed je middagdutje, je oppas was niet te bereiken… Uit wanhoop ben ik naar Bastien gegaan en heb hem gevraagd of hij niet bij ons thuis kon komen oppassen. Hij leek een seconde verbaasd, maar zei onmiddellijk ja. Voordat ik wegging, waarschuwde ik hem dat je misschien schreeuwend wakker zou worden door je angst voor geluiden: 'mama, er zit een beest in het plafond…' Ik denk niet dat je het nog weet, maar van het minste gekraak boven je bed raakte je volledig in paniek. Wolven, monsters, heksen? Ik heb nooit een woord uit je kunnen krijgen over de dingen die je bedreigden, waardoor ze me des te angstaanjagender leken. Ik was inmiddels zover dat ik serieus overwoog met je naar een kinderpsychiater te gaan. Je kent mijn twijfels over het nut daarvan, dus dat geeft wel aan hoe ongerust ik was over die onverklaarbare angsten.

Ik liet je niet van harte in zijn gezelschap achter, en eerlijk gezegd moest ik tijdens het gesprek voortdurend denken aan wat die vreselijke vrouw in het trappenhuis had laten doorschemeren. Ik nam een taxi om sneller thuis te zijn, maar toen ik binnenkwam en je kinderlijke schaterlach hoorde, begreep ik dat ik me ten onrechte zoveel zorgen had gemaakt: jullie zaten samen aan de keukentafel en hij had mijn voorraad boter gebruikt om je te helpen allerlei figuurtjes te boetseren! Rammenkoppen, vlammen, schedels, draken, die je bezig was te verven met knallende kleuren uit je verfdoos... Ik stond versteld.

'Ik zal de boter vergoeden, natuurlijk,' zei hij benauwd.

Ik neem het mezelf nog kwalijk dat ik dat op een rare, ingewikkelde manier van de hand wees zonder te laten blijken dat die boter me heel weinig kon schelen omdat ik enorm opgelucht was, dol van vreugde dat ik je ongedeerd en zo vrolijk in zijn gezelschap aantrof! Voordat hij wegging, nam hij me apart; ik hoefde me geen zorgen te maken over je plafondfobie, jullie hadden het er samen over gehad toen je was gaan krijsen bij het horen van de stofzuiger van de onderbuurvrouw... Plotseling vond ik hem een tikje zelfingenomen, herinner ik me. Toch is het wel zo dat je na die dag nooit meer bang bent geweest voor geluid, uit het plafond of waar dan ook vandaan. Mijn eigendunk als moeder kreeg er een knauw van, kan ik je bekennen, maar het ging om het resultaat, ook al vraag ik me tot op de dag van vandaag af wat Bastien heeft kunnen verzinnen om jouw vertrouwen zo blijvend te herstellen.

Hoe dan ook, drie maanden later vertrokken we samen naar Tibet.

5

Toen Paultje was gaan huilen, had Bastien alleen maar zijn voorhoofd gestreeld. Lang, heel lang, zonder een woord te zeggen. En op het moment dat de tranen en snikken van het kind hadden plaatsgemaakt voor een wat gespannen verbazing, had hij zich over hem heen gebogen met zijn mond tegen zijn oorschelp:

'Geluid,' had hij ernstig gefluisterd, 'is niets anders dan de muziek van dingen… Een geheimpje tussen jou en mij, zeg het tegen niemand, zelfs niet tegen je mama…'

De boterbeeldjes hadden de rest gedaan.

Voordat het kind wakker was geworden, was Bastien in elke kamer van het appartement gaan zitten en had elk voorwerp dat zich daar bevond bekeken. Hoe had hij kunnen toegeven dat hij voor het eerst in veertig jaar bij iemand thuis was? Toen hij was uitgenodigd om iets bij Rose te komen drinken hadden de voorwerpen in de woonkamer hem letterlijk besprongen. Hij was verbijsterd door de overvloed, en ook door de schaamteloosheid waarmee al die dingen over de jonge vrouw spraken, haar blootlegden.

Zojuist had hij naast de boeken van Alexandra David-Néel, en merkwaardig genoeg *De dageraad der magiërs,* een paar boeken van Isabelle Eberhardt in de boekenkast zien staan; op het nachtkastje lag zelfs *Zo wees dan een Columbus* van Ella Maillart. Rose voelde zich dus niet zozeer aangetrokken tot het Tibet van de excentrieke reizigster als wel door de reis zelf, het vrouwelijk avontuur. De ingelijste oude gravures van monumenten uit de oudheid die overal aan de muur hingen, de petroleumlampen, de met zorg opgestelde aftandse cello, de drie bakelieten radio's, de ongelooflijke janboel op haar bureau, de fotowand die aan haar moeder was gewijd, recht tegenover haar bed, en zelfs de consequente keuze van houten speelgoed voor haar zoontje, het was alsof hij een voor een de bladzijden van haar dagboek las. De tranen van Paultje hadden hem gelukkig verlost van deze onopzettelijke indiscretie, al konden ze de nieuwe elementen die de persoonlijkheid van Rose vormden niet uit zijn hoofd wissen.

Toen hij weer thuis was, nam de oude man zijn didgeridoo en zette hem aan zijn mond. Hij speelde matig, maar de ernstige tonen die hij aan het instrument ontlokte, brachten zijn herinnering aan de krachtige, meedogenloze dreun van Tibetaanse hoorns tot leven. Hij werd zich bewust van zijn verwarring en suste die met de muziek. Rose had hem onbaatzuchtig en spontaan haar vertrouwen geschonken, en dat trof hem diep. Hij vroeg zich alleen af waarom de jonge vrouw tegen hem had gelogen. Om het kind voor zich in te nemen, had hij plichtmatig naar zijn familie gevraagd. Niet naar zijn vader – diens afwezigheid zweefde als een ongezonde schaduw boven hen – maar naar die grootmoeder van wie Rose zo merkwaardig veel foto's had.

'Oma, die is in de hemel,' had Paultje geantwoord, 'in de rivier gevallen…'

De dagen nadat hij bij haar op bezoek was geweest had Bastien voortdurend aan Rose en haar zoontje gedacht. Hij hoefde maar een paar seconden op te houden met werken of hij zag hun gezichten voor zich. Zelfs de voltooiing van zijn zandmandala kon het rustige geluk dat voortkwam uit de heimwee naar hun aanwezigheid niet uitwissen. Hij miste het kind en zijn moeder.

Hij had geen enkele ervaring met de conventies wat dat betreft, maar het leek hem verstandig een week voorbij te laten gaan voordat hij hen op zijn beurt bij hem thuis uitnodigde. Rose ging er onmiddellijk op in, omdat ze de conciërge graag in zijn eigen omgeving wilde leren kennen.

Ze had de verwaarloosde wereld van een oude vrijgezel verwacht, een ruimte vol boeken, overladen met het stoffige bezinksel van een leven: haar verbazing was even groot als haar vooroordeel. Geen boek, geen schilderij en zelfs geen affiche, de muren waren helemaal kaal. Afgezien van de grote kussens waarop Bastien hen uitnodigde te gaan zitten, waren er zegge en schrijve één grote ronde tafel, bedekt met gekleurd zand, een paar potten gevuld met hetzelfde zand op een rijtje onder het raam en, rechtop in een hoek, een lange, bruin houten cilinder. De kamer was kleiner dan haar eigen woonkamer, maar leek twee keer zo groot! Het geheel was zo pijnlijk netjes dat ze zich schaamde dat ze hem bij zich thuis had uitgenodigd zonder vooraf op te ruimen. Haar eerste ingeving was Paul te verbieden bij de tafel te komen, maar Bastien had dat voorzien, hij tilde hem op en beschreef het werk voor het kind: die grote tekening met al die kleuren was een voorstelling van de Kalachakra-mandala.

'Dat is de naam van een paleis,' zei hij, 'een groot paleis van vijf verdiepingen waarin een geweldige koning woont die Kalachakra heet. Je kunt hem daar zien, in het midden van de bovenste verdieping, in zijn vierkante kamertje. Hij zit op een lotusbloem, hij beweegt nooit, hij kijkt om zich heen en is tevreden...'

'Echt helemaal nooit?' vroeg Paul. 'Verveelt hij zich niet?'

'Nee. Hij weet zelfs niet wat dat betekent. Hij woont daar met zijn vrouw. Zij heet Vishvamata en draagt een prachtige oranjegele jurk.'

'En zij verveelt zich ook nooit?'

'Net zo min als haar man! Ze zijn gelukkig, snap je, en als je gelukkig bent, echt gelukkig, verlang je nergens meer naar...'

'Zelfs niet naar een gameboy?'

'Zelfs dat niet. Waar het om gaat, is dat de kamer waar ze zitten een wonderkamer is: iedereen die het klaarspeelt erin door te dringen wordt er gelukkig. Maar het is heel moeilijk om hem te vinden, omdat er in het paleis nog honderden andere kamers zijn. Het is net een doolhof waarin je elk moment kunt verdwalen...'

'Wat is er in die andere kamers?'

'In een van die kamers zijn gameboys, honderden gameboys, in een andere allerlei soorten snoep, in weer een andere elektronische robots enzovoort.

Maar als je in een van die kamers blijft zitten, laten we zeggen in die van de gameboys, en je gaat spelen, dan begin je je na een tijdje te vervelen... Dus ga je verder naar de kamer met snoep en begin je te eten, te eten tot je ziek wordt. Omdat dat stomvervelend is, verhuis je weer, ga je naar de kamer met de robots en ook daar krijg je uiteindelijk genoeg van. Het houdt niet op...'

'Waar is de kamer van de gameboys?'

'Daar, op de eerste verdieping,' zei Bastien en wees op een motief in het grootste van de vierkanten van de mandala. 'En daarnaast de kamer van de robots, daar die van de knuffels, iets verderop die van de elektrische treinen... Er zijn vijfhonderdzesendertig kamers, meer dan jij kunt bedenken.'

'Waar ga je naar binnen?'

'Kijk, er zijn vier poorten: de Zuidelijke wordt bewaakt door paarden, de Westelijke door olifanten, de Noordelijke door sneeuwluipaarden en de Oostelijke door varkens...'

'En wat is er op de tweede verdieping?'

'Op de tweede verdieping zijn nog honderdzestien kamers, en in elke kamer zit een moeder die verhalen vertelt. De kamer van de wolvenverhalen, die van de prinsessen, die van de reuzen, die van de heksen, je hebt het voor het kiezen. Maar als het je gelukt is zo ver te komen, dan ben je op de goede weg, en elk van die verhalen zal je een aanwijzing geven hoe je op de derde verdieping moet komen. Daar zijn nog maar zeventig kamers, versierd met spiegels. Je hoort er klokjes luiden en allerlei soorten muziek, de ene nog mooier dan de andere. In elk van die kamers is een meester of juf die je helpt slimmer te worden en de trap te vinden die naar de vierde verdieping leidt.'

'En op de vierde?' vroeg Rose, die zich plotseling in het spel mengde.

Bastien keek haar even aan, ze zag de golf droefheid die zijn blik vertroebelde:

'Op de vierde,' zei hij, zijn blik strak op de mandala gericht, naar woorden zoekend, 'ben je vlak bij het doel. Er zijn nog maar zestien kamers, met evenveel zuilen en zwartmarmeren bassins. Je moet je in elk ervan onderdompelen, je voorgoed van alle smetten schoonwassen.'

Omdat hij merkte dat hij alleen nog tegen zichzelf praatte, verontschuldigde Bastien zich tegenover Paul en ging verder:

'Dat wil zeggen dat je, voordat je toegang krijgt tot de wonderkamer, serieus moet nadenken over de gameboy die je hebt kapotgemaakt of verloren, de sporen van chocolade om je mond moet wegwassen, vergiffenis moet vragen aan je tanden vanwege het snoep, aan alle mieren die je vertrapt hebt alleen omdat het leuk is ze te zien kronkelen, aan de kat omdat je aan zijn staart heb getrokken, en dat geldt voor alle kamers waarin je bent doorgedrongen zonder ze onmiddellijk weer te verlaten. En dan gaat, na heel lange tijd, als je braaf bent geweest, zonder geluid een geheime doorgang open en verschijnt er een diamanten trap: als je de moed hebt die op te lopen, leidt hij je voor eeuwig naar de vijfde verdieping en naar de kamer van het hoogste geluk.'

'En anders?' vroeg Paultje op ernstige toon.

'Geen probleem, jongen: dan blijf je rondlopen door alle kamers van het paleis, wat eigenlijk helemaal niet zo erg is, toch? Maar zou je niet toevallig trek hebben in limonade?'

Na de gretige instemming van Paul had hij hen uitgenodigd te gaan zitten op de kussens, die gewoon op het parket lagen, en snel iets te drinken inge-schonken.

6

Dat is heel sterk van je, Paultje… Je weet dus nog wat meneer Lhermine tegen je had gezegd om je angst weg te nemen! Als ik denk aan de enorme stortvloed van psychologie die met hetzelfde oogmerk vergeefs op mensen wordt losgelaten… Maar goed, dat doet er niet toe. Het verbaast me alleen dat je zo'n goeiig geheim zo lang hebt weten te bewaren. Laten we zeggen dat het op zijn minst van een sterk karakter getuigt… en bewijst dat je naar alle waarschijnlijkheid veel harder een vader nodig had dan ik toen dacht.

Je hebt ervoor gekozen op een vrij ingewikkelde manier met me te praten, vind ik. Maar het is beter dan niets (of zo weinig) en ik zal me graag voor dit spelletje lenen zolang je er zelf geen genoeg van krijgt.

De andere onthulling in je tekst – ik denk in dit geval niet dat je het opzettelijk hebt gedaan, dat hoop ik tenminste van harte – betreft de dood van mama. Dat Bastien wist dat ik tegen hem had gelogen raakt me dieper dan ik zou kunnen beschrijven. Ik bloosde ervan als een jong meisje… Je hebt geen idee wat die man voor me heeft betekend of hoe dankbaar ik hem ben dat hij mijn leven weer op het goede spoor heeft gebracht. Dat maakt hem nog edelmoediger; ik voelde me al een idioot dat ik hem niet onmiddellijk de waarheid had verteld, maar dankzij jou weet ik nu dat ik zijn genegenheid voor ons heb verraden.

Van zijn kant is hij tegen mij altijd openhartig geweest. Als hij gelogen heeft, dan was het uit vergeetachtigheid of vermoeidheid vermoed ik. Die dag, na het sprookje dat hij voor jou had verzonnen – je hebt het mooier gemaakt, maar het klopt wel zo ongeveer –, heb ik hem toch gevraagd waar hij zijn kennis over mandala's en Tibet vandaan had. Hij ging de vraag niet uit de weg, de studenten moeten hem vaak hebben gesteld, en hij gaf me denk ik heel eerlijk antwoord:

'Het is van jongs af aan een passie geweest,' zei hij, 'zoals een kinderlijke hartstocht voor pony's, dinosaurussen en dergelijke… Mijn vader was een geletterd man, ik had een fraaie bibliotheek tot mijn beschikking en vond het heerlijk de boeken door te bladeren. Ik zocht er eigenlijk mijn toevlucht, omdat mijn vader me het leven zo zwaar maakte. Hij was een man uit een andere eeuw, iemand die het normaal vond zijn kinderen niet te kussen en u tegen ze te zeggen. De enige keren dat hij toenadering tot ons zocht, was wanneer hij zijn verzameling antieke munten tevoorschijn haalde om te controleren of we er de complete lijst Romeinse keizers uit konden afleiden. We moesten bij elke munt een naam noemen, maar ook de jaartallen van hun heerschappij, een beetje zoals je de tafels van vermenigvuldiging opzegt. Domitianus, 81-96; Nero, 54-68; Claudius, 41-54; Theodosius, 379-395... Een ware beproeving! We mochten twee fouten maken, bij de derde was het: "Naar uw kamer meneer, zonder eten naar bed!" Zo ging het. Anderen zijn gered door Jules Verne of Stevenson, ik door het tijdschrift *Le Tour du Monde*. Dat zegt u niets, natuurlijk, maar in de jaargang van 1860 stond het verhaal van Gabriel Bonvalot over zijn reis door Azië: "Van Parijs naar Tonkin door het onbekende Tibet." Ik zou u nu nog elke gravure die erbij stond, kunnen beschrijven... Het leek of ik met een virus was besmet. Na die ontdekking heb ik alles over Tibet verslonden, niet veel eigenlijk, en vaak boeken die ver boven mijn pet gingen, maar deze bevlieging ergerde mijn vader buitengewoon en ik beet me erin vast. De volgende zomer werden we tijdens de vakantie naar mijn tante van moederskant in Parijs gestuurd. Toen zij op een middag boodschappen was gaan doen met mijn oudere broer Gilles, ben ik zelf naar het Musée Guimet gegaan. En daar, in de bocht van een gang, kwam ik mijn eerste mandala tegen. Tegenwoordig zou ik zeggen dat die op de een of andere manier míj heeft gevonden... maar ik ging er met hart en ziel in op tot sluitingstijd, en het heeft me een heel leven gekost om te begrijpen dat het centrum van een labyrint minder belangrijk is dan onze omzwervingen om het te bereiken.'

Ik weet zeker dat hij me op dat moment al de hele waarheid had verteld. De rest was onbelangrijk voor hem, ontdaan van werkelijkheid. Natuurlijk had ik op dat moment nog niets in de gaten, afgezien van de duidelijke onreddering die zijn lippen verzegelde tot een kronkelig litteken. Ik was benieuwd hoe hij zo geworden was en vroeg naar het vervolg…

'Waarom ik iets van het tantrisme weet of waarom ik conciërge ben? Hoe vreemd het ook lijkt, die twee dingen houden verband met elkaar: ik heb na mijn eindexamen een aanvullende studie gedaan, in Duitsland onder andere, en toen heeft het leven me geleerd dat men niet ongestraft keuzes kan maken. In mijn geval was het vonnis vrij zwaar, dat is zo, toch heb ik het nooit onrechtvaardig gevonden. Maar als u het goedvindt, vertel ik dat een andere keer.'

Al zouden zijn woorden anders doen vermoeden, hij had het onderwerp zonder enige boosheid afgesloten, zonder ook maar te suggereren dat ik te ver was gegaan. Omdat jij je liep te vervelen ging hij tekenspullen voor je halen. Je volgde hem en toen ik je probeerde tegen te houden zag ik het interieur van zijn slaapkamer: daar was ook niets, niet eens een matras! Het matje waarop hij sliep lag keurig opgerold langs een plint, naast een hutkoffer van kakikleurig metaal, dat was alles. Ik bedacht dat alles wat hij bezat in die koffer moest zitten. Als hij wilde, kon hij in tien minuten zijn spullen inpakken, alles in een taxi zetten en vertrekken waarheen hij maar wilde. Ik dacht aan de vrachtwagen van vijftig kuub die onze inboedel had vervoerd, aan de verhuislift, aan wat dat allemaal had gekost… Wat een schaamteloosheid vergeleken met deze vrijwillige berooidheid, deze ascese! Hij haalde kleurkrijt uit de kist en een paar blaadjes die duidelijk voor jou bedoeld waren en waarop hij met potlood de omtrekken van mandala's had getekend.

'Hier,' zei hij toen hij weer in de woonkamer kwam, 'ga deze maar kleuren, als je dat leuk vindt.

Je begint aan de buitenkant en dan ga je in de richting van de magische kamer: je mag zelf steeds mooiere kleuren bedenken…'

Je ging aan de andere kant van de kamer op het parket zitten, dacht eerst een tijdje na en stortte je toen met ongebruikelijke concentratie op het kleuren. Ik had je nog nooit zó in iets verdiept gezien; Bastien glimlachte toen hij naar je keek.

'Men kan niet ongestraft keuzes maken': je kunt je voorstellen hoe die woorden in mijn geest doorwerkten… Ik dronk mijn tweede glas witte wijn en stak van wal:

'Ik heb u toch verteld dat mijn moeder in het verzet had gezeten? In 1943 sloot ze zich aan bij de Brutus-groep die geleid werd door Pierre Fourcaud. In juni van het volgende jaar is ze verraden en werd ze door de militie opgepakt en naar de gevangenis van Montluc gebracht. Daar heeft ze drie maanden gezeten. Ze kwamen haar daar regelmatig ophalen om haar naar de Place Bellecour te brengen, waar de Gestapo zetelde. Ze merkte algauw dat ze in handen van de M.N.A.T. was gevallen, de *Mouvement National Antiterroriste* die onder leiding stond van Francis André, ook wel "Scheefbek" genaamd, vanwege zijn ingedeukte kaak. Zijn hele bende was in sectie IV van de Gestapo opgenomen. En daar, op de Place Bellecour 33, vonden de "ondervragingen" plaats. Ze zag Scheefbek alleen de eerste keer, toen ze haar nog met intimidatie probeerden over te halen voor hen te gaan werken. Daarna was er een andere Fransman, steeds dezelfde, die zich met haar bezighield. Na de klappen met de knuppel of wapenstok op alle delen van haar lichaam kreeg mama te maken met de ergste folteringen die toen in zwang waren: die vent hield haar hoofd onder water tot ze bijna stikte, sloeg met een hamer haar vingers en tenen kapot, trok tanden en nagels uit… de lijst is eindeloos. Hij leverde haar zelfs over aan zijn Duitse herder. En dat dag in dag uit, drie maanden lang, tot ze een etterend wrak was dat zelfs niet meer in staat was te smeken of ze haar dood wilden maken. Ze was net vierentwintig toen ze werd overgebracht naar Compiègne, en twee weken later naar Ravensbrück… U kunt zich wel voorstellen wat ze daar heeft moeten doormaken, het is een wonder dat ze het heeft overleefd. Mama is de naam van haar Franse folteraar nooit vergeten; een paar maanden geleden vroeg ze me in de archieven uit te zoeken wat er van hem was geworden. Het heeft me ontzettend veel tijd gekost, en ik heb dingen moeten verifiëren waarvan ik u de details zal besparen, maar uiteindelijk heb ik zijn spoor teruggevonden. Niet alleen leeft de smeerlap nog, hij heeft het voor elkaar gekregen bij de bevrijding voor een verzetsstrijder door te gaan. Een geleende identiteit, echte valse papieren, van het goede lijk gestolen… Hij heeft zijn zaakjes prima voor elkaar. Maar wat nog de grootste gruwel is, mama ziet hem geregeld bij bijeenkomsten van oud-strijders zonder hem te herkennen, ze groet hem, ze zit bij hem aan tafel… en ik weet niet of ik haar wel of niet de waarheid moet vertellen… Ik weet het niet, ziet u, ik weet helemaal niet meer wat ik moet doen…'

En dat was de tweede en laatste keer dat ik tegen meneer Lhermine heb gelogen. Daar ben ik niet trots op, dat snap je. Toen ik hem weer aan durfde te kijken, straalden zijn ogen een plaatsvervangend lijden uit. Het was weergaloos, een mildheid, een zachtheid… de pure essentie van wanhoop. Het bloed klopte heftig in mijn slapen. Geloof het of niet, maar op dat moment was ik er absoluut van overtuigd dat die man een heilige was.

7

Toen Rose op haar horloge had gezien dat het voor
Paultje de hoogste tijd was om in bad te gaan, was
Bastien met haar en haar zoon meegelopen tot aan de
deur. Pas op dat moment, op de overloop, waagde hij
het iets tegen haar te zeggen:

'Tussen twee uitersten,' vertrouwde hij haar toe,
terwijl hij haar hand iets langer dan nodig tussen de
zijne hield, 'tussen vertellen en niet vertellen, bestaat altijd een derde weg. Ik ben ervan overtuigd dat
het u zal lukken die te vinden…'

Hij wist niet zeker of hij de juiste woorden had
gekozen, maar Rose had heel ontroerd geleken over
deze poging haar dilemma op te lossen.

In de dagen daarop werd de situatie in het Saint-
Luc onverdraaglijk. Juffrouw Chubileau, bevrijd
door de aankondiging van Bastiens aanstaande vertrek, liet haar aangeboren kwaadaardigheid de vrije
loop: nu eens waren de trappen van het lyceum niet
schoon genoeg meer – 'Wat is dat voor een zwijnen-
stal, meneer Lhermine?' – en zette ze hem aan het
dweilen; dan weer deed hij te lang over het rond-

delen van de post – 'Er zijn hier mensen die werken, dat schijnt u de laatste tijd te vergeten!' De bel was een minuut te laat gegaan, en meer van dat soort pesterijen... Je kon wel zien, riep ze, dat de conciërge er zijn gemak van nam! Geen dankbaarheid, geen respect voor het werk... Na mij de zondvloed, is het niet? Nou, neem maar van Chubileau aan, dat zou niet zomaar gebeuren, zij zou het hem wel inpeperen, en snel ook! Ze liet er geen gras over groeien, want pater Metz riep hem kort daarop bij zich om hem aan zijn vervanger voor te stellen. Bastien werd geacht hem tot zijn vertrek te helpen om te voorkomen dat de dienstverlening eronder leed. Zijn positie werd eerst slechter en toen, paradoxaal genoeg, beter; hoe meer taken hij aan de nieuwkomer overliet, hoe meer hij zijn beroepsbestaan verloor, zodat hij op een dag het haarscherpe en eigenlijk tamelijk aangename gevoel kreeg dat hij volmaakt onzichtbaar was geworden.

Twee dagen voor de kerstvakantie testte hij deze nieuwe toestand en ging er halverwege de middag vandoor. Hij had besloten naar de Place Carnot te lopen en op een bankje te gaan zitten, vlak bij de speelplaats waar hij wist dat Rose en haar zoontje vaak kwamen, omdat hij hen daar al een paar keer had gezien. In de Rue Victor Hugo leidden zijn stappen hem naar een blinde die op een piepklein klapstoeltje zat. Deze leeftijdsloze man, angstaanjagend mager, met een baret ver over zijn oren getrokken en gekleed in een veel te grote zwarte jas, zong hakkelend en deerniswekkend 'Les Roses Blanches'. Op een stuk karton tussen zijn handen, die in twee ongelijke mitaines waren gestoken, stond: ZE HEBBEN

MIJN ACORDEON GESTOLE. Een afgrijselijke manier om te verkondigen dat ze zijn leven hadden gestolen, dacht Bastien.

Hij gooide een muntje in de beker die de blinde tussen zijn knieën hield en liep door naar het park. Onder de witte hemel, tussen de takken van de bladloze kastanjes, leek het imposante standbeeld van de Republiek – een bronzen Ceres die in de oudheid zo op een forum had kunnen staan – haar nek te rekken om het Perrache-station te zien. Geen kind te zien in de speeltuin; het was veel te vroeg voor Paultjes wandeling. De conciërge liep haastig naar huis.

Een klein bordje tegen de muur van de Rue d'Auvergne 6, links van de hoofdingang, meldde dat Charles Baudelaire van 1832 tot 1836 in het gebouw had gewoond. Vreemd genoeg leek het de huurders niet op te vallen, maar Bastien vroeg zich vaak af op welke etage de jongen zou hebben gewoond. Zijn stiefvader, luitenant-kolonel Aupick, was net benoemd tot chef-staf van de 7de militaire divisie, hij moest dus de beschikking hebben gekregen over een woning die zijn rang waardig was: vast en zeker een van de grote appartementen tussen de tweede en vierde verdieping, in de tijd dat ze nog niet waren opgedeeld. Charles zat in de zesde klas toen hij in Lyon kwam, en hoewel zijn naargeestige stiefvader per se wilde dat hij op kostschool ging, kwam hij van tijd tot tijd in dit huis slapen. Waarom niet in de slaapkamer van Paul, met zijn ossenbloedrode tegeltjes en zwartmarmeren schoorsteenmantel, zo weerzinwekkend eenzaam…

Zodra hij thuis was, wierp Bastien een blik uit het raam naar de binnenplaats van de kleuterschool

in de Rue Jarente, waar Rose haar zoontje elke ochtend heen bracht. Het was speelkwartier en hij zocht
Paultje met zijn ogen. Het kind zat op een bank, op
zijn vaste plaats, tussen twee juffen die met elkaar
praatten zonder zich om hem te bekommeren. Hij
speelde bijna nooit. Niet dat hij dat niet wilde, maar
elke keer dat het hem lukte een driewieler of bal te
bemachtigen, sprongen er weer twee of drie jochies
op zijn nek en pakten het speelgoed met geweld af.
Schoppen en stompen die hem op de grond deden
belanden, al zijn pogingen liepen systematisch op
dezelfde manier af. Paul vluchtte tussen de rokken
van zijn juf en keek de rest van het speelkwartier
snuffend naar zijn geschaafde knieën… Bastien was
net zo'n kind geweest, stil, nadenkend, net iets slimmer dan zijn kameraadjes, genoeg om spontaan hun
vijandigheid uit te lokken. Wee de zwakken of de
dromers! Dood aan de dichters! De oorlog, de echte
oorlog begon daar, op de kleuterschool.

Tijdens deze overpeinzingen nam hij het besluit
om niet naar het bejaardenhuis te gaan dat hem was
toebedacht. Bij de eerste sneeuw zou hij te voet naar
het Massif du Pilat vertrekken, de kou zou voor de
rest zorgen.

Toen dit hem helder voor ogen stond, goot Bastien wat blauw zand in een *chapku* en legde die in de
palm van zijn hand. Hij pakte met zijn rechterhand
een andere metalen kegel en boog zich toen langzaam over zijn mandala. Als je voorzichtig over het
gekerfde deel van de kegel vol kleur wreef, kon je
met de lege chapku de stroom zand korrel voor korrel beheersen. Deze zich herhalende beweging ging
gepaard met een insectengesjirp waarvan Bastien al

vaak de hypnotiserende werking had gevoeld. Hij concentreerde zich op de laatste vierkante centimeters van zijn werkstuk en liet zich wegglijden in een bewustzijnsniveau dat een droomtoestand benaderde. Elke tint van de mandala vibreerde op een andere manier voor hem, ontketende harmonieën die op hun beurt duizend-en-een suggestieve varianten vormden. Vajram, het lapis lazuli; oranjegeel, Vishvamata; zwart, de drift van Kalachakra, rood, zijn opwinding, geel, zijn vredige gezicht, wit, zijn vervulde glimlach. Geelblauw, roodgroen, oranjepaars, al die tinten waarvan de mandala een breed spectrum bood, leidden tot de geboorte van een bijzondere godheid, de naam van een bodhisattva — een van die voorbeeldige wezens die uit mededogen met anderen hun eigen vervulling hadden uitgesteld — een deel van het lichaam of van ons bloedvatenstelsel, een ster, een sterrenstelsel, een oneindig aantal werelden tussen wit en zwart, de uiterste kleuren van het leven en de dood. Bastien sprak nu op ernstige toon de zandkorrellettergrepen uit waarmee de ontelbare gangen van de mandala bezaaid waren. Akshobya, Amitabha, Amoghasiddhi, Ratnasambhava, Vairocana… zo riep hij de zevenhonderdtweeëntwintig godheden aan die aanwezig waren in het Kalachakrapaleis, en onmerkbaar veranderde de vlakke structuur van de compositie: elke lijn lichtte op, vervolgens verhief hun samenstel zich boven de tafel als een soort fluorescerend hologram. Bastien was bedreven in deze fantasmagorie. Hij concentreerde zich steeds meer totdat zij verdween en hij vrede vond in het moment. Zijn zandmandala was voltooid.

Hij wist beter dan wie ook dat deze lange oefening niet meer was dan een hulpmiddel bij de meditatie. Er viel niets anders van te verwachten, afgezien van een minieme voortgang op de weg naar het Ontwaken misschien. Er was niets magisch, niets definitiefs aan dat alles. De Kalachakramandala, of hij nu reëel of geestelijk was, gebouwd met tot poeder vermalen edelstenen – zoals in het Tibet van de tiende eeuw gebruikelijk was – of gevisualiseerd ten koste van een enorme geestelijke inspanning, was louter een herinneringstheater. Je kon er alle verworven kennis uit halen om te ontsnappen aan het wiel van de tijd en in één leven het mythische koninkrijk van Shambala bereiken, maar het was vooral een spiegel, een genadeloze psyché die onze eigen dwalingen op de weg van de transformatie weerkaatste. Deze hele symbolische verbeelding zag Bastien vaak als een ganzenbord met verwrongen onderdelen, een oneindige spiraal die onverbiddelijk verleden, heden en toekomst verbond, maar waar twee op de drie worpen van de dobbelsteen je steevast terug naar af stuurden.

Uitgeput strekte hij zich uit op zijn matje en viel in slaap terwijl de eerste straatlantaarns verlegen aanfloepten boven de stad. Tegen middernacht werd hij zwetend wakker door het fysieke gevoel van een regen van spijkers en lappen rauw vlees op zijn huid.

8

Het vliegtuig dringt zich tussen de bergen. Je zou zweren dat het de besneeuwde hellingen raakt voordat het overhelt en de landing inzet naar Gonggar. Wanneer het tot stilstand komt aan het eind van de landingsbaan kleurt een eerste zonnestraal de cabine vermiljoen.

Het is heel koud. Als ze over het tarmac lopen, draait Rose zich om en kijkt naar het toestel: een speeltje voor de luchtpost, belachelijk kwetsbaar, dat door de alchemie van de hoogte in een gloeiende bol is veranderd.

Bastien loopt zonder omkijken weg, zijn blik op de gebouwen van het vliegveld gericht. Hij heeft tijdens de reis geen woord gezegd, zodat Rose zich afvroeg of ze er niet verkeerd aan had gedaan hem deze reis aan te bieden. Maar nee. Hij is alleen onder de indruk, het is de eerste keer dat hij vliegt, de eerste keer dat hij boven de wolken zweeft. Ze heeft zijn pupillen gezien toen het vliegtuig de ether in dook; moest ze zelf ook niet denken aan die oude gravure waarop een astronoom zijn hoofd buiten de ondermaanse sfeer steekt? Bastien gaat de droom van een heel leven verwezenlijken. Het is normaal dat hij niet praat, dat hij zich op elk van deze momenten concentreert.

Een aftandse minibus brengt hen naar Lhasa. In de tijd dat ze de vijfennegentig kilometer tussen het vliegveld en de stad afleggen, stijgt de temperatuur langzaam. Als ze op de stoep van Dekyi Shar Lam staan, is het tien uur 's ochtends en voelt de lucht bijna lauw op hun wangen. Maar het is vooral het licht dat hen overweldigt. Het grijpt hen bij de keel en verstikt hen minstens evenzeer als het gebrek aan zuurstof op die hoogte. Het gevoel boven de wereld te zijn, binnen een strikte ruimte die is teruggebracht tot haar perspectieflijnen. Het doet Rose denken aan delen van de Côte d'Azur in de winter, tijdens de mistral, als wind en zon samenwerken om het kreukpapier van de klippen een reliëf te geven dat ze dichterbij haalt, binnen handbereik lijkt te brengen. De triomf van de dag is hier onvergelijkelijk, en heeft iets van een epifanie of minstens van de verbijstering die je je voorstelt bij iemand die blind geboren is en plotseling kan zien. Ze ontmoeten Chinezen in maopak, groepjes slenterende Tibetanen, monniken in rode gewaden, maar dat alles vormt alleen maar een onscherp schijnsel dat een stroom kleuren afvuurt op hun ogen, die ze dichtknijpen tegen het schelle licht.

Bastien zet de pas erin, ondanks het gewicht van zijn bagage. Rose heeft die uit nieuwsgierigheid opgetild: God weet wat hij heeft meegenomen dat die tas zo zwaar is! Ze volgt hem steeds moeizamer, terwijl hij straat in straat uit loopt alsof hij al vijftien jaar in Lhasa woont. Ze hijgt door de druk op haar borst, krijgt niet genoeg lucht, en blijft staan om op adem te komen. Hij merkt het en komt teruglopen om haar te helpen.

Ze weet niet meer hoe ze in het hotel is gekomen, al is het niet ver van de plek waar de bus hen heeft afgezet. Wanneer ze op het kleine bedje in de slaapzaal met vier bedden haar ogen openslaat, zit Bastien naast haar op een ongemakkelijke stoel. Hij kijkt afwezig voor zich uit en merkt niet dat ze wakker is. Ze heeft het bijna te warm, terwijl de oude man nog steeds zijn jas aanheeft, de militaire overjas die hem het aanzien geeft van een herder uit de Bekavallei. Als ze haar neus boven de deken steekt, vermoedt ze dat het heel koud is. Bastien heeft haar toegedekt met alle beschikbare dekbedden. Automatisch controleert ze of hij haar niet heeft uitgekleed voordat hij haar in bed stopte.

'Is het al laat?' vraagt ze met een blik op haar horloge.

'Geen idee, maar je hebt diep geslapen…'

'O, het is al vier uur!'

'Hoe voel je je?'

'Goed. Tenminste, beter dan vanochtend in ieder geval. Ik dacht echt dat ik zou stikken…'

'Hoogteziekte… Het duurt twee tot drie dagen voordat je gewend bent.'

'En u? Hebt u er geen last van?'

Bastien haalt zijn schouders op, net genoeg om aan te geven dat het hem niets doet. Het lijkt wel of hij zich tot een antwoord moet dwingen.

'Ach, weet je… ik ben eraan gewend.'

'O ja? Want u beklimt vaak toppen van drieduizend zevenhonderd meter… In het weekend, in de Monts d'Or, dat zal niet meevallen!'

Ze heeft onmiddellijk spijt van deze bitse ironie, maar Bastien lijkt het helemaal niet in de gaten te hebben.

'Ik heb me onzorgvuldig uitgedrukt. Laten we zeggen dat ik ergere omstandigheden heb meegemaakt dan hoogteziekte. Mijn lichaam herinnert zich dat, neem ik aan… Het is gehard. En dan is er tai chi, en yoga, al die technieken moeten wel helpen… Heb je dat nooit geprobeerd?'

'Wilt u het me leren?'

'We zullen zien… Eerst moeten we iets te eten voor je vinden.'

'Ik heb geen honger. Als u wilt, kunnen we proberen de Potala op te gaan, we hebben toch nog genoeg tijd?'

'Morgen, als je er weer een beetje bovenop bent. En bovendien is het nog mooier in het ochtendlicht…'

Hij glimlacht, alsof hij zich verontschuldigt dat hij een beetje liegt. Zijn aanwezigheid alleen al verzacht de miezerigheid van de kamer: kale muren, een wastafel die half verborgen zit achter een plastic gordijn, vale granito tegels… Er bungelt een eenzaam peertje aan het plafond.

Ze staan weer buiten. Bastien loopt langzaam naar de Jokhang terwijl hij Rose de geschiedenis van het heiligdom uitlegt. De 'Woning van de Dierbare' dateert uit de zevende eeuw en dient als zetel voor een oeroud standbeeld van Shakyamuni, de Jowo. Het is het ware centrum van Lhasa, het geestelijk middelpunt. Volgens de legende was een vrouwelijke demon van plan de stad te verwoesten; om dat te bereiken liet ze zich over het omringende landschap vloeien tot ze ermee samensmolt. Een prinses ontdekte in een droom deze camouflagetactiek, en toen ze wakker werd, herkende ze het hart van de demon in de vorm van een meer met een rode weerschijn. Dat werd zo snel mogelijk gedempt zodat het schepsel van haar bloed werd beroofd, en vervolgens bouwde men daar de tempel. Op die manier vastgepind, was de demon voorgoed onschadelijk.

'Het is bijna een vampierverhaal,' zegt Rose, terwijl ze Bastien bij de arm neemt.

De oude man antwoordt niet, want om de hoek van een steeg doemt de massa van de Jokhang op. In de afwisseling van witte pleister en rode oker ontvouwen twee monniken voor de gevel een enorme banier versierd met vissen, parasols en eindeloze linten; de wind stort zich erop en tilt hem omhoog als een bontgekleurde rok. Op de hoeken van de vergulde daken fonkelt een heel koperwerk van vogels, herten, wielen en torentjes onder de schuine stralen van de zon. Een soort miniatuurschilderkunst, verdoezeld door de rook van de twee enorme ovens waarin jeneverbestakken worden verbrand. Op de Barkhor, het pad rond de tempel, lijkt een massa hominiden op weg naar de laatste zielsverhuizing. Er zijn een paar Chinese nozems die uit de toon vallen met hun pet schuin op het hoofd en hun blauwe pak, maar vooral Tibetanen die uit de bergen zijn afgedaald. Rose kijkt haar ogen uit: ze ziet wat een teveel aan licht tot nu toe voor haar verborgen heeft gehouden. Khampa's in gekeerde schapenvellen, de rechterschouder bloot, lopen trots in de menigte.

Door hun lange haar, dat in ccn knot is gedraaid, zijn strengen rood draad gewikkeld die opzij neerhangen. Met hun oorknoppen van koraal of turkoois lijken ze hemelse zwervers, geschminkt met fossiel vuil, waarin hun witte tanden oplichten. De vrouwen hebben de bronzen huidskleur van squaws, en ook de bijbehorende vlechten waarin soms kilo's grote rode en blauwe kralen zijn verwerkt. Ze stoten elkaar lachend aan, steken hun tong uit, en dollen met elkaar of met de mannen. Een soort gekrompen volwassenen met snotneuzen rennen tussen hun rokken. De Monpa's dragen donkerrode wollen pijen waaronder hun fraai geborduurde laarzen te zien zijn. Daaroverheen schorten met strepen in kleuren die doen denken aan de harmonieën van Der Blaue Reiter: een vleugje Paul Klee naast een zwuifje Macke of Kandinsky. De bewoners van Lhasa zijn westers gekleed, met leren jacks, jassen, allerlei soorten parka's die worden opgeluisterd met dezelfde kettingen van halfedelstenen, vreemde vilthoeden, kepies versierd met brokaat en voorzien van een bontklep, *tsjapka's*, Lei Fangs met oorkleppen. Ze draaien gebedsmolentjes, laten gebedssnoeren door hun vingers glijden. Sommige mannen of vrouwen die een gelofte vervullen, doen een stap, knielen vervolgens, laten zich plat op hun buik glijden – ze hebben plankjes of stukjes karton om hun handen niet te bezeren – staan in dezelfde beweging weer op, doen nog een stap en beginnen opnieuw. Hun knielen veroorzaakt eilandjes van leegte in de menigte. Een Chinese in een te strak nepleren jack staat gapend van minachting naar hen te kijken.

9

Het eerste daglicht wekte Bastien uit zijn slaap. Hij had een paar minuten nodig om zich uit bed te werken. Op zijn leeftijd is het lichaam als een ouderwetse schoener, de spanten laten een onheilspellend gekraak horen, de gammele romp wordt geteisterd door de golven, bij elke nieuwe windvlaag lijkt het of hij breekt. Maar er is niets aan te doen. Hier en daar een onderdeel vervangen zorgt er alleen voor dat het karkas blijft drijven. Het is oud, zo is het nu eenmaal. Dus besprenkelt hij zijn gezicht met ijskoud water, kamt zijn haar en dwingt zich tot zijn dagelijkse gymnastiek.

Hij gaat tussen de bedden in de slaapzaal staan, heft zijn armen boven zijn hoofd en brengt ze in een grote cirkel terug naar zijn heupen. Nadat hij op die manier de ruimte heeft verdeeld, begint hij zich erin te verplaatsen, danst ermee in harmonie, wordt er één mee in de bres tussen de dingen.

De eerste blik van Rose, op het moment dat ze wakker wordt, blijft hangen aan deze bijna onbeweeglijke choreografie. Met halfgesloten oogleden doet ze alsof ze nog slaapt en observeert een hele tijd het silhouet dat zich aftekent tegen het raam, van waaruit in grijze schakeringen de rest van de kamer oplicht. Die man is een mysterie. Even ondoorgrondelijk als een orang-oetan. Ze denkt aan de aap waar Paultje zo bang voor was in de dierentuin van Beauval; een wezen dat opgesloten zat achter een masker van haar en slijmvliezen, een monade waarvan alleen de ogen menselijkheid uitschreeuwden. Uit alle macht had zij de ingemetselde blik beantwoord, zonder zich iets aan te trekken van haar zoon die aan haar mouw trok om voor die dwang te vluchten.

'Goed geslapen?' vraagt Bastien als hij klaar is met zijn oefeningen voor het raam.

'Als een blok… En u?'

'Alleen een nachtmerrie vanochtend vroeg…'

'Weet u hem nog?'

'Niet precies, ik reed op een tijger door de bergen.'

'Dat lijkt me juist een leuke droom…'

'Hangt ervan af.'

'Goed, ik haal even een lapje over mijn gezicht, en gaan we dan op pad?'

Door de kou waren ze gedwongen geweest helemaal gekleed naar bed te gaan; zodra ze haar dekbed openslaat, voelt ze zich opnieuw verkleumen.

'Brrr!' zegt ze terwijl ze zo snel mogelijk haar schoenen aantrekt. 'Ik besterf het nog in dit land!'

'Wacht even, ik steek even het kacheltje aan…'

Bastien klimt op een stoel om de stekker van de Dianlu in het stopcontact in het plafond te steken. Hij pakt een boek uit zijn bagage en gaat op zijn bed zitten.

Met haar toilettas in de hand staat Rose voor de wastafel. Ze trekt het douchegordijn dicht dat op schouderhoogte over een draad van de ene muur naar de andere loopt.

'Wat leest u?'

'De *Bardo Thödrol Chenmo.*'

'De wat?'

'*De Grote Bevrijding door Horen...* Dat is de echte titel van het *Tibetaanse dodenboek.*'

'Ja, oké, ik weet wat het is, maar ik ben nooit verder gekomen dan de eerste bladzijde... Niet echt vrolijk, of heb ik het mis?'

'Niet vrolijk en niet triest. Gewoon een mooie tekst; een rouwritueel dat de tussenstadia beschrijft op het moment dat de dood intreedt.'

'Leest u nooit een roman?'

'Nooit.'

'Goed, ik zal u niet meer storen. Leest u maar...'

Rose draait beide kranen open en constateert dat er net zo min als gisteravond warm water uit de leidingen komt. Met haar rug naar Bastien toe trekt ze haar trui en blouse op tot haar hals, maakt haar bh los en begint zich onder haar armen te wassen. Bibberend van de kou laat ze haar jeans en onderbroek zakken om haar wasbeurt te voltooien. Een blik achterom, zonder bijgedachten: Bastien is opgehouden met lezen, maar kijkt niet naar haar. Hij lijkt in gedachten verzonken, zijn blik op de leegte voor zich gericht. Rose is onwillekeurig een beetje gepikeerd.

Als ze klaar is, kauwen ze wat droge koekjes bij het kacheltje en kleden zich aan om de deur uit te gaan.

De Potala vanuit de verte bewonderen als een schaalmodel hoog op zijn heuvel was één ding, het was heel iets anders wanneer zijn massa boven je torende. Aan de voet van het paleis moest je achterover buigen om een reepje hemel boven de daken te zien. Ver daarvoor stapelden zich de dertien opeenvolgende terrassen van de Potala op, gebouwd uit een mengeling van steen, hout en mortel. Met zijn toegangspaden aan de zijkant, tussen lage muurtjes, zijn oogverblindend gepleisterde gevels, zijn galerijen daarboven, versierd met rode houten zuiltjes, zijn reeksen bruine raampjes, zijn vergulde daken waaruit, als schoorstenen, hoge zwarte cilinders omhoogstaken, leek hij, met zijn air van een passagiersschip, op een berg die op het punt van vertrek stond.

'Het heeft iets van een gigantisch stuk harlekijntaart,' zei Rose met glanzende ogen. 'Een harlekijntaart van Pignol: chocolademousse en mangosorbet op een bedje van schuim... Allemachtig!'

Bastien had een soort vage glimlach vertoond en was begonnen de eerste treden te beklimmen. Ze volgde hem, maar na zo'n vijftig treden stopte ze op de eerste overloop, ervan overtuigd dat ze niet verder kon. Hij wachtte geduldig tot ze weer op adem was, terwijl hij uitlegde wat ze van de gevel zagen. Daar, net boven het 'schuim', was het rode paleis, het religieuze gedeelte van het gebouw, met de mausolea van de lama's, de kapellen, de bibliotheek en duizenden standbeelden en andere votiefaltaren. Het witte paleis rechts herbergde het officiële gedeelte en de appartementen van de Dalai Lama. En het okergele gebouw – de 'laag mango' – herbergde de kapellen van Maitreya en Kalachakra. Vanaf dit standpunt kon je heel goed de helling van de muren zien; een hoek van tien graden die ervoor moest zorgen dat de gebouwen beter bestand waren tegen aardbevingen.

Twee of drie Tibetaanse stellen en een paar kinderen liepen hen voorbij.

Ze hervatten de oneindige beklimming van de treden met deze keer de bloedrode rechthoek van de Oostpoort voor zich. Ook al hield hij rekening met haar, toch versnelde Bastien ongemerkt zijn tempo zodat Rose opnieuw moest gaan zitten toen ze boven was, met hevige migraine, bijna misselijk. Hij ging de vestibule binnen zonder te merken dat hij haar achterliet.

Er kwam een jongeman naast haar zitten.

'Welkom in Tibet! Jij heel moedig, maar jij niet kennen de gevaren van de berg…' Hij rommelde in zijn zak en haalde er een medicijnflesje uit: 'Hier slik dit, dan voel je je meteen beter.'

'Wat is het?'

'Diamox, dat verbetert de ademhaling… twee pillen.'

'Dank je,' zei Rose terwijl ze het medicijn innam, 'ik weet niet hoe ik het tot hier gered heb…'

'Het ergste is dat jullie voor niets naar boven zijn gegaan: het paleis is dicht.'

'Ja,' zei Bastien, die weer naast hen kwam zitten. 'Ik heb net een monnik gesproken, we kunnen alleen de toegangshof zien.'

'Om razend van te worden, toch? Maar goedemorgen, trouwens. Ik heet Thomas. Thomas Bola. Zeg maar Tom.'

'Tombola?'

'Grapje… Thomas Cortèz.'

'Rose Sévère, Bastien Lhermine. Het is vanwege het nieuwjaarsfeest, niemand heeft me kunnen vertellen wanneer ze weer open zijn.'

'Ik loop al bijna een week lang elke dag naar boven,' zei Tom. 'Straks ga ik nog weg zonder het gezien te hebben... De stad is afgesloten, geen mogelijkheid om Lhasa over de weg te verlaten, maar ik heb een manier gevonden om bij het klooster van Gyantse te komen.'

'Oef, dat is beter,' zei Rose. 'Geweldig, die pillen van jou! Denk je dat ik ze hier ergens kan vinden?'

'Dat zou me verbazen. In het ziekenhuis misschien. Hier, neem het potje maar, ik heb er nog meer in het hotel.'

'Weet je het zeker?'

'Ja, dat zeg ik toch... Is dat je vader?'

'Nee,' zei Rose glimlachend. 'We reizen samen, meer niet.'

De jongeman leek tevreden met het antwoord. Hij was hooguit een jaar of dertig. Niet onaardig om te zien met zijn krullen en zijn baard van drie dagen. Grijs leren jack, kabeltrui, grote sjaal van grove witte wol... geen rugzaktoerist in ieder geval. Ook niet zomaar een toerist, ondanks het fototoestel dat aan zijn schouder hing.

'We moeten minstens de fresco's van de vestibule zien voordat we weer afdalen. Geschilderd en overgeschilderd, maar goed, dat is overal zo.'

'Komt u, meneer Lhermine?' vroeg ze toen ze opstond.

'Ik wacht hier op jullie.' En, met zijn blik naar de grond: 'Let vooral op de vier wachters van de windstreken, elk met zijn eigen kleur en uitverkoren wapen. Dhritarashtra is mijn favoriet, de wachter van het Oosten, die de wereld met een gitaar beschermt.'

Diep ademhalend, alsof deze opmerking hem moeite kostte, voegde hij eraan toe:

'Er is ook een tafereel met de bouw van de school voor geneeskunde boven op de Chakpori...'

'Nou, hij weet er heel wat van af, die oude!' zei Tom toen ze weg waren gelopen.

Rose knikte alleen maar, ietwat geërgerd door Bastiens houding.

De fresco's waren inderdaad te gelikt naar haar smaak – koningsblauw, amandelgroen, zachtgeel, een hele serie afgrijselijke monsters met een aureool van vlammen – maar ze zocht de wapens van de drie andere wachters. Het werd een soort spel met Tom, zodat ze uiteindelijk de stoepa, de degen en het vaandel ontdekten.

Ze kwamen weer terug bij de ingang. Bastien zat nog steeds op dezelfde plek, met een sombere blik. Toen ze bijna bij hem waren, kwam een Tibetaan met een kind naar Tom toe, stak zijn tong uit en wees naar het fototoestel. De jongeman probeerde hem in het Chinees antwoord te geven zonder goed te begrijpen wat dat comanche-opperhoofd wilde.

'Hij wil graag met je op de foto,' vertaalde Bastien. 'Hij zegt dat hij zeer vereerd zou zijn...'

'Ik doe het wel,' zei Rose onmiddellijk. 'Kom maar...'

Tom liet haar zien hoe ze scherp moest stellen, waarna hij rustig tussen die mooie kerel en zijn haveloze zoon ging staan. Een Khampa met lange vlechten, net uit de bergen, ongedwongen in zijn bontjas met een patina van vet. De kleren van het jochie waren al even armoedig. Vader en zoon hadden zwarte handen en een soort roetstrepen op hun gezicht. Naast hen, voor zijn roodgelakte zuil, leek Tom een vriendelijk schoon stripvarkentje van Walt Disney. Toen Rose klaarstond, doken er andere kinderen op die zich verdrongen om op hun beurt op de foto te bestaan. Met gevouwen handen en een buiging bedankte de Tibetaan en draaide zich vervolgens om zonder te proberen de ontmoeting te verlengen.

Ze daalden gezamenlijk weer af. Halverwege de trap greep Tom Rose bij haar middel en draaide haar zachtjes naar de Potala. Zonder iets te zeggen strekte hij zijn vinger uit naar de top van het gebouw. Rose zocht vergeefs de daken af, in een poging iets anders te zien dan wat ze zag, en toen begreep ze het: daarginds, midden tussen al het goud en de zwartblauwe hemel, wapperde een rode vlag. Ondanks de afstand onderscheidde je moeiteloos de vijf sterren van de Volksrepubliek China.

IO

Niet slecht, helemaal niet slecht, dat detail van die rode vlag daar… Je hebt gelijk, Tom is degene die me de ogen heeft geopend voor de Chinese aanwezigheid in Lhasa. Tussen haakjes, ik vind de naam die je hem hebt gegeven een beetje vreemd, dat moet je me eens uitleggen, hoor. Daarna zag ik ze overal, die vlaggen: op tempels en openbare gebouwen, natuurlijk, maar ook in de straten en op de miezerigste krotjes in de buitenwijken. Het deed me denken aan het jaar dat jij leerde lezen: toen je het eenmaal doorhad, tegen Kerstmis, begon je alle woorden die je zag voor te lezen, allemaal, zonder uitzondering; de woorden op het pak cornflakes, de fles melk, de huishoudelijke apparaten, de etalageruiten… Tot aan de opschriften op putdeksels toe! Je omgeving kreeg ineens betekenis, het was alsof je in een andere wereld terecht was gekomen. Ik zal nooit vergeten hoe verlekkerd je 'roestvrijstaal' of 'Magimix' uitsprak om vervolgens in afgronden van verbijstering te storten. Tibet in 1986 was voor mij als een landing op Mars, een enorme schok. Leren lezen wat ik zag, terwijl ik nog niet

eens begonnen was de basale werkelijkheid te verwerken, was regelrecht traumatiserend. Voeg daar
mijn belabberde lichamelijke conditie aan toe, en je
zult begrijpen hoezeer ik uit het lood was geslagen.

Ik ging er in een opwelling naartoe, weet je…
Niet zozeer vanwege Alexandra David-Néel en ons
bezoek aan Digne de zomer daarvoor, maar meer
als een poging om aan mijn angsten te ontsnappen.
Bastien de reis aanbieden waarvan hij zijn hele leven
had gedroomd lijkt je misschien een gul gebaar, maar
het was een rookgordijn, een manier om me aan een
strohalm vast te klampen. Het was in twee weken
geregeld: ik heb vliegtickets gekocht, een fortuin uitgegeven om met spoed visa te regelen – ik zal je de
details besparen van de ellende om voor hem een pas-
poort te bemachtigen… – heb jou bij je tante in Ai-
margues achtergelaten en ben vertrokken. Ik had zelfs
geen reisapotheek meegenomen, ik bedoel maar! En
een gids van Tibet kopen, daar heb ik geen seconde
aan gedacht: ik had de beste onder handbereik, zo heb
ik de dingen aan Bastien voorgesteld om hem over te
halen mee te gaan, een levende 'audiogids', en je bent
er redelijk in geslaagd die vreemde situatie weer te
geven. Hij nam mijn uitnodiging aan zoals we elke
gunst zouden moeten aanvaarden, gewoon, zonder
vertoon van emotie. Jij biedt me iets aan, ik accep-
teer het, en dan heb jij er vooral plezier van. Er zijn
culturen waarin het onbeleefd is om een cadeau uit te
pakken in aanwezigheid van degene die het heeft gegeven. Bastien vertrok geen spier, bedankte me nauwelijks. Ik weet zeker dat hij nooit heeft gejubeld, ook
niet toen hij weer alleen was. Hij was voortdurend tot
alles bereid, zowel tot de dood als tot een offer.

Ik had te maken met een soort buitenaards wezen, even ondoorgrondelijk, even verwarrend als de
Tibetaan op de foto. Toen we terug waren in de oude
stad, spraken we met Tom af om 's middags weer
naar de Jokhang te gaan. Bastien wilde nog wat gaan
lopen. Ik had rust nodig en ging dus alleen naar het
hotel. In de kamer plofte ik op zijn bed neer om een
blik te werpen in het boek dat op het dekbed lag.
Het viel open op een bladzij met een ezelsoor, bij het
hoofdstuk van de voorspellingen. Er was een alinea
onderstreept: 'De dromen van 's avonds laat en van
middernacht zijn niet bepalend, maar als ze tussen de
ochtendschemering en de dageraad plaatsvinden, en
men droomt dat men een tijger, een wijfjesvos of een
lijk berijdt, dan is het een teken van de dood.'

Toen ik op zijn plaats zat, precies waar hij die
ochtend had gezeten, ontdekte ik dat de ruit van het
venster spiegelde en dat je precies kon zien wat het
gordijn werd geacht te verbergen. Ik zeg niet dat Bastien heeft geprobeerd te gluren, maar hij heeft me
gezien, of was daar in ieder geval toe in staat. Eerlijk gezegd zou ik me vooral gevleid hebben gevoeld,
al herinner ik me meer een oude man bezeten van
boeddhistische droombeelden dan iemand die naar
een vrouw bij de wastafel zit te loeren. Toch heeft hij
zich niet afgewend, en dat gebrek aan tact – in beide
gevallen – heeft bijgedragen aan de onrust in mijn
hoofd.

God weet waarom ik je dit vertel... Om je een
idee te geven hoe complex die man was, misschien;
maar vooral, denk ik, omdat de aardige manier
waarop je de zaken versimpelt me helpt ze me te
herinneren.

11

Ze wandelen over de daken van de Jokhang. Bastien legt aan Rose de symboliek uit van het beeldhouwwerk dat fonkelt van het koper, waar hun blik ook gaat. Tom laat zich fotograferen voor een verguld doodshoofd, in de vreemde zetting van een bruin gepleisterde muur. Met Rose laat hij voor de lol de grote koperen gebedsmolens zo hard mogelijk draaien; ze lachen allebei, en leunen schouder aan schouder over de borstweringen om de Potala te bewonderen. Onder het donkere houten ooglid van de galerijen zijn zij de pupil van een geloken oog dat naar de steeds weidsere hemel kijkt.

Als ze weer afdalen, worden ze opgeslokt door de menigte pelgrims die zich op de grote binnenplaats van het heiligdom heeft verzameld. Al die mensen staan in de rij voor een lama met een gele kap, die een eind boven hun hoofd zetelt, onder een luifel behangen met geborduurde zijde. Hij heeft een voorwerp in zijn rechterhand, een soort met stof omwikkelde knuppel die hij gebruikt om de mensen die voor hem buigen een zachte klap in hun nek te geven. Bastien legt uit dat het een bodhisattva is, een levende boed-dha, wiens zegeningen te vergelijken zijn met onze christelijke aflaten, en mensen een paar ongelukkige reïncarnaties besparen. Tom zou het wel willen pro-beren, gewoon om te voorkomen dat hij terugkomt als oosterse kakkerlak, wat volgens hem voorbe-stemd is vanwege zijn losbandigheid. Rose heeft er geen zin in, ze is een beetje beducht voor die massa gedrongen herders, gewikkeld in hun warme die-renhuiden, maar Bastien sleept Tom mee de rij in. Als de Tibetanen zien dat ze met buitenlanders van doen hebben, gaan ze vriendelijk opzij om hen door te laten. Binnen een paar minuten zijn ze bij de gele kap. Het idool glimlacht naar hen, net als naar alle anderen. Zijn gezicht heeft de wasachtige zalving van oprechte sereniteit; de man is elders, in een wereld waarin lijden voorgoed een woord zonder inhoud is. Van zo dichtbij kan Tom de scepter van de lama beter zien: het is een menselijk dijbeen waar nog een paar droge flarden vlees aan hangen. Hij buigt zich voor de troon en ontvangt meteen de klap van de verlos-sende knots. Bastien doet hetzelfde, voordat ze zich uit de menigte loswurmen.

Rose heeft hen vanuit de verte gadegeslagen. Ze heeft zelfs een paar foto's genomen met Toms ca-mera.

'Ik weet niet waarmee hij jullie heeft geveld, maar het ziet er niet smakelijk uit…'

'Een rest van een bout,' zegt Tom. 'Maar hij geeft een stevige mep, het is geen bluf!'

'Het is een middel om verlossing te vinden,' zegt Bastien ernstig. 'Dat kan nooit kwaad.'

Ze mengen zich in het onophoudelijke gekrioel

op de Bakhor, en laten dat vervolgens achter zich om over de markt te wandelen. In de kraampjes is een overvloed aan leren zakken gevuld met boter, karntonnen zo smal als pijlkokers, hompen vlees die op van bloed doordrenkte stukken karton op de grond liggen; schapenhuiden, jakleer en plakken thee puilen uit jutezakken. Te midden van de geuren van turf en ranzige boter oefent een Chinese tandentrekker zijn beroep uit op een apache met purperen tressen in zijn haar, die de boor wegduwt om een haal van zijn peuk te nemen. Met zijn hoofd verstopt in een gigantische bontmuts – het lijkt of er drie levende vossen om zijn schedel geslingerd zitten – verkoopt een perkamentachtige Tibetaan zijn rommel van namaakjade. Hier appeltjes bedekt met rode karamel, daar strengen van ronde kaasjes, zo hard als steen. Het doffe geluid van een groepje monniken met bellen en tamboerijnen voorzien van klingelende balletjes stijgt boven het rumoer uit.

Meerdere keren krijgt Tom een hand op zijn billen van mooie Tibetaanse vrouwen, onder de geamuseerde blikken van de mannen die hen volgen.

'Heb je geen zin om het te proberen?' vraagt Rose. 'Ik weet zeker dat je ze kunt oppikken als je dat wilt…'

'Te bang om ze teleur te stellen,' antwoordt Tom, aanstellerig maar eerlijk. 'Heb je hun mannen gezien? Ik ben geen partij.'

Hij neemt hen vervolgens mee naar een straatje waar je kleine vleesspiesjes kunt eten. Rose heeft zo genoeg van alleen maar kaakjes dat ze zich laat overhalen, ondanks het overduidelijke gebrek aan hygiëne.

Met een volle maag lopen ze de binnenplaats van een karavanserai op.

Drie langharige jaks, gezadeld met dekens en bundels, staan kalm aan hun halster te rukken. De houten gaanderijen hebben hun beschildering verloren, koeiendrek en vochtig stro bedekken de aangestampte aarde. Het doet verlaten aan, ondanks de groep bergbewoners die op de vloer van een overdekte galerij zit. Met hun vettige jassen en hun verwarde haar vol stro kleuren ze goed bij de modder en gaan ze op in de leemtinten van de omgeving. Een oude vrouw heeft een van haar borsten ontbloot, helemaal bruin, bol maar uitgelubberd; haar zuigeling staat naast haar aan een stuk vlees te knagen. Rose beseft dat ze waarschijnlijk even oud zijn, als je de misère en de tandeloze mond wegdenkt. Er hurken mannen met pelsmutsen op hun hoofd; als ze de vreemdelingen opmerken, nodigen ze hen uit bij hen te komen zitten. Een oude man stampt in een karnton voordat hij hun een glas thee met boter en een kom tsampa aanbiedt. Ze laten zien hoe je een bolletje maakt van het geroosterde gerstemeel. Rose en Tom proeven beleefd, zonder veel enthousiasme. Bastien doet het eten wel eer aan en praat intussen met hun gastheren. Ze komen uit Shigatse. De voorraad boter is verkocht, maar de prijzen zijn gedaald, ze kunnen niet kopen wat ze mee naar huis hadden willen nemen. De schuld van de Chinezen. Nee, ze mogen ze niet, niemand mag ze, afgezien van die verrader van een Panchen Lama. Ze hebben geen enkele hoop dat ze ooit het vroegere Tibet terug zullen krijgen: met honderdveertigduizend soldaten in Lhasa alleen al zijn er meer Chinezen in de stad dan

Tibetanen zelf! Onmogelijk om ze te verjagen. 'Ze hebben ons opgegeten,' herhaalt de oude man terwijl hij met zijn tong in een holle kies voelt, 'het is afgelopen, we hebben verloren.'

12

Ik moest vreselijk lachen om je 'langharige jaks!'
Het deed me denken aan de pruiken van jakhaar bij
Molière. Maar probeer er toch nog wat aan te scha-
ven. Voor zover ik me herinner, lijken die beesten
eerder op mammoeten dan op hippies; je zou het
wolvet moeten ruiken, de vlassigheid van de vacht
voor je moeten zien... Op een gegeven moment
moet je echt de sprong wagen en zelf gaan kijken. Ik
kan je het geld wel voorschieten, als je wilt.

Het is grappig hoe de Tibetanen Bastien zonder slag
of stoot in hun midden opnamen. Geen van de mensen
met wie ik hem heb zien praten vroeg hem ooit door
welk wonder hij hun taal kende. Alleen het contact,
zijn directheid telde. Van zijn kant – in tegenstelling
tot Tom, of tot mij, aangestoken door Tom – bekeek
Bastien hen zonder een spoor van medelijden. Hij
zag in hen geen armoedzaaiers of slachtoffers, maar
nam hen zuiver voor wat ze waren, alsof hij ze tegenkwam in de Rue de Jarente, bij de bakker op de hoek.

Toen Tom voorstelde onze wandeling langs de rivier voort te zetten, naar een 'tof' tempeltje, wilde

Bastien eerst nog langs ons hotel. Hij kwam weer naar buiten met een rugzak die ik niet van hem kende, een antiek model uit de kampeerwinkel, type padvinder jaren vijftig, zo zwaar dat hij doorboog onder het gewicht.

'Wat is dat?' vroeg Tom grappend, 'blikvoer?'

'Een laatste taak om te vervullen,' antwoordde hij. 'Dat zien jullie straks wel.'

De huizen begonnen schaarser te worden toen de Kyichu plotseling opdoemde. De stad hield abrupt op aan de noordelijke oever, in een bocht. Een brede rivier, met bruisend aquamarijnkleurig water dat in schuimkoppen tegen de grindstrandjes of kleine rotsen opspatte. Op de zuidelijke oever begon het gebergte alweer, met zijn heupwiegende valse plooien en tuimelingen. Zo ver als het oog reikte, was er maar één brug, en die lag recht voor ons. Een lichte hangbrug, zo smal dat hij alleen toegankelijk was voor voetgangers of dieren; hij kon worden afgesloten met twee geel gestreepte metalen hekken. Overal, langs de hele lengte van de tuien, op de pijlers aan de oever of op de gaspeldoornachtige planten die her en der langs de waterkant groeiden, klapperden veelkleurige slingers van gebedsvlaggetjes met een geluid als van een langgerekt applaus. Uit een rituele oven ontsnapten rookpluimen aan een vuurtje van geurige kruiden.

'Ik ga het hier doen,' mompelde Bastien en hij bleef midden op de brug staan.

Ik werd ineens helemaal somber bij de herinnering aan je grootmoeder, dat snap je... Maar toen haalde hij uit zijn rugzak zakjes vol zand die hij met zijn rug naar de wind leeg begon te gieten in de rivier.

'Een mandala is pas voltooid wanneer hij aan de zee wordt geofferd, moeten jullie weten… Na een vernietigingsceremonie verstrooien de monniken in Tibet hun zand in de Brahmaputra, zodat het vervolgens in de Gangesdelta belandt; maar deze rivier voldoet even goed.'

Tom riep uit: 'U hebt die zandbak toch niet helemaal van huis meegesjouwd?'

'Wie een voornemen tot een goed einde brengt, al is het er maar één, komt een stap dichter bij de staat van genade. Ben je het daar mee eens?'

Ik gaf Tom een teken om te zwijgen en we keken toe van achter de veiligheidskabel.

Het zand, dat zo langzaam mogelijk werd uitgestort, stroomde eerst in een strakke lijn, voordat het zich plotseling verspreidde, alsof het door de helderheid van de lucht werd opgezogen. Bastien liet zijn mandala gaan, gaf hem korrel voor korrel terug aan de grote zandloper van de wereld.

13

Het is een kleine, moderne tempel, omringd door wat verspreide krotten met rode vlaggen boven op hun armoe van smerige leem. Als hij het gezicht van de drie vreemdelingen ziet, haast de oude bewaker zich om een beker *chang* voor hen in te schenken uit een vergulde plastic kan, en dan gaat hij aan de slag, hij gooit droog gras op de haard, legt een votiefsjaal op een altaar. Het vertrek is zwart beroet en stinkt naar stal en joints.

'Het ruikt naar hasj, of verbeeld ik me dat?' zegt Tom, plotseling opgewekt.

Hij inspecteert de hooimijt en kauwt op een strotje. Nee. Het lijkt erop, maar het is geen hennep. Toch is de reukillusie verwarrend...

'Zou u hem kunnen vragen of hij ons er wat van wil verkopen?'

Bastien stelt de vraag zonder morren. De bewaker ziet niet in waarom hij geld zou vragen voor iets wat je overal in de bergen vindt; hij pakt een armvol en propt die als vanzelfsprekend in de rugzak.

Er staat maar één beeld in het heiligdom. Een levensgrote godheid op een draaimolenpaard. Je ziet van de ruiter alleen het woeste gezicht, met felrode lippen, uitpuilende ogen, en een Dalísnor, onder de hoofdband van een helm versierd met menselijke schedels. De rest is verborgen onder een opeenhoping van dunne witte sjaals en damasten banieren. Een merkwaardige combinatie van een Byzantijnse keizer en een Siciliaanse marionet.

Rose blijft bij de offertafel staan, waar vettige drinkzakken, baaltjes thee, snoeren van graankorrels, borden vol snoep en sinaasappelen liggen opgestapeld. Er staan botersculpturen in de twee vakken van een beschilderde houten bloembak die respectievelijk met gerstkorrels en meel zijn gevuld; smalle plankjes, versierd met kakelbonte reliëfs, bloemen, landschappen vol vogels, scènes uit het leven van Boeddha. Rose glimlacht als ze terugdenkt aan Paultje en Bastien in haar keuken.

De bewaker schenkt onophoudelijk gerstebier bij als hun glas nog maar net leeg is. Ze nemen een laatste slok, kopen een rammenkop van boter om de carnavalsruiter die in het duister glanst te sussen en gaan weer op weg.

De tempel van de Roodkappen die Tom hun wil laten zien ligt iets hoger tegen de berg aan. Verlaten. Het gebouwtje waar ze net vandaan komen, is een vervanger, treurig als alle tijdelijke oplossingen die voor eeuwig blijken te zijn.

De alcohol is in hun benen gezakt, ze zijn doorweekt als ze bij de ruïne komen. Op de binnenplaats blijken de verwoestingen het te winnen van de mooie overblijfselen. Weggerukte deurlijsten, dichtgemetselde vensters en openingen, gammele balkons en daken, zodat je je afvraagt hoe het geheel overeind blijft. De rode gardes hebben zich duidelijk op het arme ding uitgeleefd voordat ze het in een boerderij veranderden en vervolgens lieten instorten. Onder een grote iep, die met zijn compacte bladermassa sierlijk tegen de hemel afsteekt, liggen grote hopen mest te verteren; het getaande achterlijf van een kadaver lijkt zich eruit los te willen worstelen. Op de binnenwanden van de gaanderijen zijn de fresco's helemaal weggekrast, maar hier en daar zijn nog sporen over, waarin je een halve hand, een stukje wang herkent. Ondanks de verlatenheid ademt de plek rust uit, een soort verbondenheid.

'Kunnen we er niet in?' vraagt Bastien.

'Nee,' zegt Tom. 'Ik ben er de vorige keer omheen gelopen, alles is dichtgemetseld. Maar we kunnen altijd even kijken…'

Rose gaat op een half ingestorte trap zitten.

'Ik ben gesloopt, ik verzet geen stap meer.'

'Kom,' zegt Bastien vriendelijk, 'alsjeblieft.'

Rose komt direct overeind, neemt zijn arm en dwingt zich diep in te ademen.

Ze gaan de gebouwen rond, op zoek naar een opening, hoe klein ook, en achter het belangrijkste heiligdom vindt Rose een doorgang, vlak boven de grond, verborgen onder het puin van een hoek. Ze wurmt zich op handen en voeten naar binnen, gevolgd door de twee mannen.

De grote zaal is leeg, bezaaid met gruis. Ook hier zijn alle schilderingen verwoest, er zijn alleen nog wat abstracte vegen over, die op muurkalk lijken. Omdat ze moeilijker te bereiken zijn, hebben de plafonds alleen van verwaarlozing te lijden gehad; de balken tonen nog hun decor van bloembladen en voluten tegen een koraalrode achtergrond, net als de bovenkant van de gecanneleerde pilaren. Op de zolderbalken ziet de afwisseling van oranje en Yves Klein-blauw er nog fraai uit.

Rose gaat als eerste een aangrenzende zaal binnen, haar angstkreet weergalmt tussen de mismaakte muren. Tom en Bastien komen aanrennen: achter in de ruimte kijkt Mao Zedong hen aan met zijn gele ogen, de ogen van een maki, van een hallucinerende priester!

Het is een groot olieverfschilderij in een rode lijst dat daar vergeten is, tegen een muur die minder beschadigd is dan de andere. Tussen de Chinese propaganda-affiches in typische jarenzestigstijl zijn nog tientallen kleine afbeeldingen van een fresco van de 'duizend Boeddha's' te zien. Tom is de eerste die zich losrukt uit de verbijstering waarin ze door deze aanblik zijn gedompeld, maar als hij op de schildering af loopt, verstart hij door een aangehouden fluittoon. Een vreemd geluid, dat van boven komt, zodat ze hun blik naar de balken richten; een polyfonie voor *ondes Martenot*, zingende zaag en vleugelbommen in zwart-witfilms. De intensiteit neemt af, en ten slotte verdwijnt het.

'Wat was dat?' vraagt Rose met een vertrokken gezicht.

'Niets,' zegt Tom, 'gewoon een vliegende schotel.'

'Het is schitterend, moet je kijken...'

Ze gaan naast Bastien voor het schilderij staan. Iemand heeft in grote woede, maar een kille, precieze, chirurgische woede, de ogen van Mao uitgesneden zodat erachter twee van de nog gave medicijnboeddha's op de muur te zien zijn.

In een hoek van de zaal staat een bundel antieke gaffels en blaaspijpen.

Ze blijven zich onbehaaglijk voelen tot ze op het voorplein staan, waar ze weer op adem komen.

'Dat moet de Mao van de landbouwcoöperatie zijn geweest,' zegt Tom.

'Laten ze ze met rust laten, jezus christus! Waarom doen ze hun dat aan?'

'Lithium, chromiet, koper, borium, sideriet,' antwoordt Bastien.

'Mica, gips, kristal, fosfor, agaat, silicium,' gaat Tom verder. 'Het is alsof ze al dood zijn.'

Maar ineens laat de vreemde muziek zich weer horen. Eerst heel ijl, dan steeds luider, dan lijkt ze weg te sterven om weer van voren af aan te beginnen. Ze turen verbluft de hemel af als een vlucht duiven de ruimte boven hen bruin kleurt; het bruuske zigzaggen lijkt overeen te komen met de onvoorspelbare variaties van de stemmen. Soms krijgt een ocarinatoon de overhand, dan het akkoord van een fluit of doedelzak.

Ze volgen de zwerm tot die binnen de omheining van een huis even verderop neerdaalt. De muziek sterft weg.

'Fluitduiven,' zegt Tom perplex. 'Ik wist dat ze bestonden, maar ik had ze nog nooit gehoord.'

'Hoe is het mogelijk?'

'Al sla je me dood…'

'Kleine kolokwinten voor enkelvoudige tonen,' zegt Bastien, 'een combinatie van rietjes voor akkoorden. Dic worden op de duif vastgemaakt, tussen de twee staartveren…'

'En dat weet u allemaal…'

'Mijn kennis is niet zo bijzonder, dit komt recht-streeks uit een tijdschrift, *Le Magasin pittoresque*… Oorspronkelijk schijnt het bedoeld te zijn geweest om tamme duiven tegen hun vijanden te bescher-men, in een tijd dat er door het ontbreken van een reinigingsdienst in Peking enorm veel gieren, bui-zerds en andere roofvogels waren. Daarna zagen een paar estheten er de mogelijkheden van een orkestra-tie in, windsymfonieën…'

'Wat er allemaal niet in dat blad staat! Moet je een abonnement nemen of koop je het in de kiosk?'

Bastien gaat verder, alleen tegen Rose.

'Veertien verschillende paren fluitjes, even zoveel harmonieën: *Zi Mu Ling* "Kind en moeder", *Zhong Xing Peng Yue* "Vele sterren begeleiden de maan"…'

Bij ondergaande zon terug naar Lhasa. Ze worden nog lang geteisterd door die gefloten taal, scherp en indringend achter hen, als een remanentie.

Tom loopt mee naar hun hotel. Op het laatste moment nodigt hij Rose uit om iets te gaan drinken. Ze aarzelt, kijkt naar Bastien en slaat het dan dood-vermoeid af. Ze spreken af voor de volgende dag aan de voet van de Potala.

14

De jonge monnik kronkelt van de lach.

'Wat hebt u tegen hem gezegd?' vraagt Rose aan Bastien.

'Dat ik heel oud ben en dat ik de daken van de Potala vóór mijn dood wilde zien.'

'Daar lijkt hij niet bovenmatig van onder de indruk,' zegt Tom terwijl hij zich warm stampt. 'We kunnen zo weer naar beneden.'

Rose zucht vermoeid en geprikkeld: 'Hoeveel treden waren het ook al weer? Zesentwintighonderd, drieduizend?'

Tom glimlacht.

'Het maakt niet uit, we vinden wel iets anders om te doen. De Norbulingk is geen bal aan, maar we zouden bijvoorbeeld de Drepong kunnen bekijken. Ik ga pas vanavond weg, we hebben alle tijd.'

Bastien palaverde nog steeds met de monnik. Hij gaf geen enkel teken van ongeduld en leek in een vriendschappelijk gesprek verwikkeld. Van tijd tot tijd sloeg de geestelijke in zijn handen klappend dubbel van het lachen. Het geluid weergalmde als een zweepslag over de binnenplaats. Een groepje kinderen stond van het schouwspel te genieten.

'Dicht is dicht,' zegt Rose, 'we gaan hier niet de hele dag…'

Bastien geeft toe en neemt met een Tibetaanse groet afscheid van de monnik. Op het laatste moment bedenkt hij zich, grabbelt in de zakken van zijn jas en haalt er een ansichtkaart uit die hij met een buiging aan zijn gesprekspartner geeft.

Tom is nog even achtergebleven en ziet een transformatie bij de jonge man plaatsvinden. Met rode wangen van emotie bijt hij op zijn lippen, zijn vingers om de kaart geklemd. Heel snel brengt hij de afbeelding in een gebaar van respect naar zijn voorhoofd, en laat hem vervolgens in een plooi van zijn gewaad verdwijnen. Bastien heeft nog geen drie stappen gezet of hij hoort hoe hij geroepen wordt: het monnikje zal voor hem de daken van de Potala openen, uitsluitend voor hem en zijn vrienden, als zegenblijk voor het nieuwe jaar.

'Het is ongelooflijk! Hoe hebt u dat gedaan?'

'Hij heeft hem alleen een ansichtkaart gegeven.'

'Niet zomaar een,' zegt Bastien. 'Een foto van de Dalai Lama.'

Rose kijkt hem vragend aan.

'Ja, die je zoon mij heeft gegeven. Ik was er erg aan gehecht.'

Onder leiding van de jonge monnik dringen ze door in het doolhof van het Witte Paleis.

Als ze na een laatste reeks treden op het terras belanden, sluit Bastien zijn ogen en maakt zijn geest leeg. Zich mee laten voeren door de windpaarden, loslaten. Shambala… Een trilling van heel zijn wezen bewijst hem dat hij eindelijk op de drempel van de laatste deur staat.

Rose is naar de rand van het dakterras gerend; ze is uitgelaten en raakt niet uitgepraat over het prachtige uitzicht dat deze belvedère op Lhasa en het keteldal van de omringende bergen geeft. Tom lacht en richt steeds opnieuw zijn fototoestel om de orgiastische schoonheid van de plek vast te leggen: het violet van de verste toppen, het zilvergrijs van de bergen dichterbij, het diepzee-ultramarijn van de hemel, waartegen klauwstukken van verguld koper, zwarte torentjes, hindes van Keryneia afsteken.

'Wat ben ik blij,' blijft hij herhalen, helemaal veranderd door de vreugde daar te zijn.

Rose antwoordt op dezelfde toon, praat in zichzelf.

'Ik geloofde er niet meer in… Het is subliem! Het dak van de wereld, Tom, besef je dat wel? We staan op het dak van de wereld!'

Ze is in vervoering door de ontdekking en krijgt zuurstofgebrek als een bergbeklimmer na zijn eerste 'achtduizend'. Tom speelt voor windwijzer, met zijn arm naar de onzichtbare Himalaya's gestrekt:

'Everest, Anapurna, Nanga-Parbat, Kangchenjuga!'

Rose draait mee rond, vastgenageld aan de as van het heelal, dronken van die polariteit. Ze merkt dat Bastien zich afzijdig houdt. Hij was degene die hier altijd had willen komen, waarom deed hij niet mee aan de dans? Waarom bleef hij tegen zijn bruin gestuukte muur staan, met zijn ogen dicht, als een inktvis die tegen zijn rots zit geplakt? Ze blijft staan om naar hem te kijken terwijl ze tegelijkertijd naar

Tom gebaart. Het monnikje heeft ook zijn ogen gesloten; op zijn hurken aan de voeten van de oude vreemdeling prevelt hij gebeden terwijl hij zijn bidsnoer rond laat gaan. De stilte wordt aangrijpend. Je hoort de gieren cirkelen, hoog in het blauw, oproepend tot nieuwe hemelse begrafenissen. Het terras is bijna overbelicht.

Bastien doet zijn ogen open zonder dat blijkt of hij nog iets ziet, ze schrikken van zijn wazige blik. De monnik laat zijn vingertoppen over Bastiens jaspand glijden, buigt zijn hoofd en hervat zijn gebeden.

In een staat van diepe onverschilligheid maakt de oude man zich los van de muur en wandelt recht naar de zuidwesthoek van het terras. Gestuurd door een onbedwingbare reflex loopt hij door tot zijn schoenen tegen het muurtje stoten. Verontrust door zijn gedrag is Rose naar hem toe gelopen. Ze denkt heel even dat hij zich in de diepte gaat werpen, maar hij verstart. Er komt een soort holle klacht uit zijn lichaam, als het kermen van een snorhout, dat haar angst aanjaagt. Tom komt bij hen staan als hij plotseling doorkrijgt dat er iets ernstigs aan de hand is.

Rose tuurt naar het uitzicht waar Bastien door gehypnotiseerd lijkt te zijn, maar ze ziet niets, afgezien van de trillende kleur van de bergen, en dan ontdekt ze onder het paleis het heuveltje waar een televisiezender uit omhoogsteekt; een goudgele Eiffeltoren boven een massa moderne gebouwen. Daaromheen defileert een mierennest in geordende rechthoeken. Ze beseft dat het exercerende Chinese soldaten zijn, wanneer Bastien een vreemde beweging maakt met zijn heupen, als een ruiter die weer recht in het zadel gaat zitten na een verkeerd genomen hindernis. Hij strekt zijn armen uit, de handpalmen naar de hemel gericht en valt achterover, plotseling, als een boom onder een zaag. Zijn schedel maakt een luguber geluid tegen de glimmende stenen van het terras.

De jonge monnik opent zijn ogen en versnelt het ritme van zijn litanieën.

15

Rose zit al uren op een stoel naast het etiket 401 床 van het Volksziekenhuis. Het is een grote zaal met twee rijen smalle metalen bedden die bijna allemaal bezet zijn. Een paar Tibetanen, veel Chinezen, bij wie de familieleden elkaar onophoudelijk aflossen. Er is geen selectie, zodat simpele gebroken benen, en zelfs net bevallen vrouwen, naast veel zwaardere gevallen liggen. Maar die omgeving is misschien niet zo tragisch, denkt Rose; het is waarschijnlijk juist menselijker om contact te hebben met degenen die net komen op het moment dat je heengaat. Er wordt gekreund, gehoest, gespuugd of gebabbeld; er wordt soms ruziegemaakt zonder enig gevoel voor privacy of gewoon respect voor anderen. Langs de onder-kant van de eierschaalwitte muren is met olieverf een brede strook groen geschilderd. Daarop zijn de bednummers, gepenseeld op slordig uitgeknipte stukjes papier, met plakband vastgezet. Overal vuil, op de rossig uitgeslagen muren, op het crèmewit van de formica nachtkastjes, op de nog minder schone schorten van de verpleegsters. Aan het hoofd van elk bed troont een grote zuurstoffles, met een verouderde manometer, geschilderde verf en onbegrijpelijke teksten; de zaal lijkt op een loods waar geflipte duikers worden opgepompt.

Bastien ligt op zijn rug naast haar, naakt onder een gewatteerde deken, zijn linkerarm aan een infuus. Beroerte plus licht hoofdletsel, voor zover ze heeft begrepen. Hij ligt in coma.

Haar paniek op het terras van de Potala tijdens het wachten op hulp, de brancard en de ambulance vormen een kluit herinneringen in haar hoofd. Eén beeld dringt zich voortdurend op, de val van Bastien. Hij blijft maar vallen, aan één stuk door, zonder haar een minuut respijt te gunnen.

Tom is fantastisch geweest. Hij heeft de hele zaak geregeld. Ze had nooit verwacht dat er onder zijn nonchalante gedrag zoveel zakelijke doortastendheid schuilging. Hij heeft zich als een gek uitgesloofd om Bastien naar het ziekenhuis te laten brengen. Omdat zij de polissen van de reisverzekering bij zich had, is hij vervolgens god weet waarheen vertrokken om de repatriëring te regelen. Ze bedenkt dat ze zonder hem waarschijnlijk nog door de straten van Lhasa zou zwerven zonder te weten wat te doen. Tom heeft zich er blindelings in gestort. Hij leek precies te weten wat hij moest doen om Bastien te helpen, haar te helpen vooral, omdat de oude man er echt beroerd aan toe lijkt te zijn en in een schemertoestand op het randje van de dood zweeft.

Een verpleger komt het infuus vervangen. Met zijn haar in een knot en zijn bakkebaarden ziet hij eruit als een samoerai. Door zijn dikke brillenglazen op het puntje van zijn neus controleert hij of de vloeistof goed doorloopt. *Hǎo… Nǐ hǎo ma?* Oké… Oké? En hij loopt weer verder naar andere bedden.

Rose's blik blijft hangen aan het uitgeteerde gezicht van Bastien. Hij heeft de ogen van een dode Christus, zijn wangen kleuren wit door een begin van baardgroei. Wat moet ze in dit ziekenhuis met een bejaarde die ze nauwelijks kent? Wat heeft haar bezield om hem hier mee naartoe te nemen? Waarom voelt ze zich verantwoordelijk voor zijn gezondheid, voor zijn leven, dwingender dan als het om haar eigen moeder was gegaan? De enige in haar omgeving die waarschijnlijk dezelfde ellende heeft doorstaan, de enige tegen wie ze kan praten zonder de angst veroordeeld te worden.

'Ik geloof niet dat u me hoort, en dat geeft me de moed tegen u te praten. Ik heb tegen u gelogen, dat spijt me. Nadat ik onderzoek had gedaan naar de figuur die mijn moeder had gemarteld, was ik zo verbijsterd over mijn vondst dat ik niet over de gevolgen heb nagedacht. Ik vond alleen maar dat ik niet zomaar alles uit de doeken moest doen, en vertelde haar vervolgens zo snel mogelijk alles. Toen ik steeds meer details gaf die het net om de schuldige dichttrokken, was zij het die me vroeg om het kort te houden. Ik heb haar toen heel precies verteld wat ik ontdekt had, met onweerlegbare bewijzen: de militieman die haar tijdens de zwarte jaren van haar jeugd had gemarteld was tegenwoordig een respectabele verzetsman, een van de mensen die ze bewonderde om zijn optreden bij de herdenkingen, als ze het Partizanenlied aanhieven.

Ze gaf geen krimp. Stelde één nuchtere, scherpe vraag: "Weet je het echt zeker?" "Mama," antwoordde ik, "je kent me, ik ben historica, ik zou je nooit zoiets durven onthullen als ik niet zeker was van mijn zaak!"

Ze wendde voor dat ze alleen wilde zijn om na te denken, en ik ging naar huis.

De volgende dag belde de politie me uit bed om te vertellen dat ze kort voor middernacht in de Saône was gesprongen.

Getuigen hebben gezien hoe ze doelgericht over de brug liep en in het midden stilhield; ze zette netjes haar tas neer voordat ze over de reling klom. Zonder een seconde te aarzelen tuimelde ze eroverheen als een vuilniszak die op de afvalhoop wordt gegooid. De brandweer slaagde er vrij snel in haar lichaam uit het water te halen, maar ze had tijdens de val haar nek gebroken, ze hebben niets eens geprobeerd haar te reanimeren.

Geen brief, geen woord. Alleen vertrokken vanwege een geestverschijning…'

Rose barst in snikken uit. De samoerai-verpleger komt ongerust naar haar toe. Hij controleert Bastiens pols, het infuus. Alles gaat goed. Oké. Oké…. *Not dead*, de oude Franse papa…

'Het gaat goed met hem, Rose, de verpleger zegt dat er geen problemen zijn. Wat is er Rose? Rose?'

Ze voelt Toms hand in haar nek en laat haar tranen de vrije loop tegen zijn borst.

'Het is niets, de spanning, de vermoeidheid… Ik ben helemaal in de war. Is er nieuws van de verzekering?'

Tom heeft haar van alles te vertellen maar hij haalt eerst een plak chocolade uit zijn zak en dwingt haar twee of drie blokjes te eten.

'Ik weet niet hoeveel telefoontjes ik heb gepleegd! "Is de heer Lhermine overleden of alleen stervende?"' zegt hij met vlakke stem. '"Goed, we zullen doen wat nodig is, belt u over een kwartier weer terug." "Zou u ons het medisch dossier kunnen faxen? Nee, niet in het Chinees, in het Engels." "In dat geval zal ik onze medische hulppost in Kathmandu waarschuwen, bel ons over een kwartier terug…" Toen moesten ze een second opinion hebben voordat ze hun eigen dokter naar Nepal stuurden; maar die kon pas over vier dagen komen… Om je de haren uit het hoofd te trekken!'

'En nu?'

'Ze hebben geregeld dat jullie morgenavond vertrekken, met het vliegtuig van negen uur. Hun contact komt vannacht uit Kathmandu aan en reist met jullie mee naar Parijs. Bastien wordt bij de landing onmiddellijk opgevangen. Alles is geregeld.'

Rose bedankt hem. Ze weet niet wat ze zonder hem hadden moeten beginnen, het is ongelooflijk wat hij heeft gedaan. Als er iets betaald moet worden, de faxen, de telefoon…

'En je tochtje naar Gyantse? Zou je vanavond niet vertrekken?'

'Oplichterij,' zegt Tom. 'De chauffeur heeft op het laatste moment de prijs verdubbeld, en dat allemaal om achter op een vrachtwagen zonder dekzeil te reizen… Ik heb moeten knokken om mijn poen terug te krijgen.'

'Dus je blijft nog?'

'Ik kan niet anders. Maar debiel als ik ben, heb ik mijn hotelkamer opgezegd en vanwege het feest is er geen bed meer te krijgen. Ik sta eigenlijk op straat, weet je…'

'Dan kan ik tenminste ook een keer nuttig zijn,' zei Rose. 'Wij hebben een complete slaapzaal ge-huurd, er is plek zat als je wilt.'

16

In de war, zeg je! Dat is erg zwak uitgedrukt, neem dat van mij aan. Ik herinner me nauwelijks nog iets van die dag in het ziekenhuis, de dood van mama en het ongeluk van Bastien liepen dwars door elkaar. Toen we voor de nacht het ziekenhuis uit werden gezet, was het een opluchting al die ellende even achter te laten.

Je hebt goed aangevoeld dat ik Tom wel zag zitten. Maar ik had andere dingen aan mijn hoofd, ik was vooral blij dat ik niet alleen was in dat land.

Toen we in de kamer kwamen, hielp Tom het kacheltje aan te sluiten en zijn we minutenlang op onze hurken in de straling blijven zitten. Daarna legde hij zijn spullen op een bed tegenover het mijne. Hij kwam weer terug met een flesje Chinese wodka in zijn hand.

'*In case of emergency,* oké?' zei hij met Chinees dichtgeknepen ogen.

Ik nam een slok, rechtstreeks uit de fles; brand-alcohol, of bijna, maar het verwarmde beter dan de Dianlu... We hebben het uitvoerig over Bastien gehad. Ik vertelde hoe ik hem had leren kennen, over zijn passie voor Tibet van jongs af aan, over de spontane opwelling om hem hier mee naartoe te nemen. Tom gaf Franse les in Rood China. Het was de tweede keer dat hij in Lhasa kwam. 'Je kunt je niet voorstellen hoe deze stad in drie jaar veranderd is,' zei hij. 'De Chinezen zijn volop bezig de oude wijken plat te gooien, net zoals ze in Peking en Shanghai hebben gedaan, en die te vervangen door de flutarchitectuur waar ze het patent op hebben.' De gietijzeren lantaarns, de keurige trottoirs op het plein voor de Johkang, daar werd hij razend om. Hij zag er een tragisch teken in van de onvermijdelijke verchinezing van Tibet.

Toen ik een tweede keer de wodka die hij aanbood afsloeg, ging hij in zijn eentje door met drinken, zonder dat er iets anders aan hem te merken viel dan nog meer hartstocht in zijn verhaal over de Chinese knevelarijen sinds 1959. 'Je zult zien,' beweerde hij treurig, 'ze zijn in staat een spoorlijn te bouwen tot aan Lhasa om gemakkelijker troepen of kolonisten aan te voeren! Op een dag zullen er zelfs loketten voor toeristen bij de ingang van de tempels staan!'

We gingen vrij vroeg naar bed, ieder aan onze eigen kant. Toen om een uur of twee de zekering van de Dianlu doorbrandde, ben ik bij hem in bed gekropen om een beetje warmte te vinden. Ik ben tegen zijn rug aan gekropen en hij was zo fatsoenlijk net te doen of hij sliep. Of misschien sliep hij echt… Ik ben pas tegen de ochtend ingedommeld.

Ik was als eerste op. Nadat ik naar het 'toilet' was geweest, de gore latrines aan het eind van een betonnen gang, trok ik het douchegordijn dicht om te proberen mezelf toonbaar te maken. In de spiegel boven de wastafel zag ik hoe Tom helemaal verwilderd rechtop in bed ging zitten. Hij zocht me met zijn ogen en bleef toen mijn kant uit kijken. Hij keek tenminste naar me! Ik deed of mijn neus bloedde en stapte heel vanzelfsprekend naast het gordijn, alsof ik me zo geconcentreerd aan het schoonpoetsen was dat ik niet merkte dat het gordijn me maar half verhulde, en liet hem meer zien dan nodig was. Ondanks de kou kleedde ik me zelfs helemaal uit.

Hij bleef tot op het laatst naar me kijken, en ik had blozende wangen toen ik me naar hem omkeerde.

'Goedemorgen,' zei hij. 'Mag ik nu in de badkamer?'

Ik ging op Bastiens bed zitten, en keek ook, maar die idioot poetste alleen maar zijn tanden en plaste in de wasbak! Dit alles om je te laten weten dat er niets is gebeurd tussen ons en om je een pornoscène met je moeder in het volgende hoofdstuk te besparen…

Voordat we het hotel uit gingen, heb ik onze koffers gepakt, en daarna vertrokken we weer naar het ziekenhuis.

Daar wachtte ons goed nieuws: Bastien was die nacht uit zijn coma ontwaakt. Wonderlijk genoeg had hij helemaal geen nawerkingen van zijn beroerte en leek hij volkomen helder. Zijn eerste woorden waren verontschuldigingen voor alle heisa die hij had veroorzaakt. Ik stelde hem met een grapje gerust en Tom bracht hem op de hoogte van het resultaat van zijn inspanningen.

'Voelt u zich echt goed, zeker weten?' drong ik een beetje dommig aan, terwijl er andere vragen door mijn hoofd tolden: wat is er op dat terras ge- beurd? Wat hebt u voor verschrikkelijks gezien?

'Ik voel me goed, Rose, maak je vooral geen zor- gen om mij. Zelfs iemand die doodziek is, kan nog twee of drie dagen blijven leven… Ik weet niet meer welke Japanse meester dat gezegd heeft, maar ik kan het bevestigen. Ben je echt van plan mee terug te gaan naar Frankrijk? Het is belachelijk, je zou moe- ten blijven.'

'Ik laat u niet alleen vertrekken, geen sprake van!'

Ik kan je onmogelijk beschrijven op wat voor toon ik dat zei… Als een echte groupie! Zo neer- slachtig als ik was geworden bij zijn levenloze en stil- le lichaam, zo afhankelijk werd ik weer bij de klank van zijn stem. Geloof het of niet, op dat moment zou ik de gekste dingen hebben gedaan, als hij ze me had opgedragen!

'Doe me dan een plezier en geniet van deze laat- ste dag. Laat mij maar, ik heb vooral slaap nodig. En bovendien heb ik wat te lezen,' voegde hij eraan toe met een gebaar naar de pocket waarin ik de eerste ochtend had gebladerd.

Ik gehoorzaamde. We gingen Lhasa weer in, en ik vroeg Tom me mee te nemen naar de antenne waar Bastien voor zijn val naar keek.

'Naar de Chakpori? Dat is een goed idee, dan zijn we op tijd terug voor de dokter van Mondial As- sistance. Hij komt om een uur of vier naar het zie- kenhuis om jullie vertrek te regelen.'

Op de 'IJzeren Berg' – in het Tibetaans Chakpori – stond vroeger de school voor geneeskunde, een van de oudste en meest vereerde heiligdommen van Lhasa, legde hij uit. Ik heb er later foto's van gezien die Schäfer in 1939 heeft gemaakt. De berg was hele-maal kaal, met witte golvende groeven. Een somber en indrukwekkend Babel waar een smal pad omheen slingerde. De tempel op de top, als een geometri-sche uitstulping van de berg, deed erg denken aan een katharenkasteel, in zichzelf gekeerd, met zijn ei-gen geheimen. Nadat het Chinese leger het gebouw in 1959 met de grond gelijk had gemaakt, is het ver-vangen door een televisiezender waarvan de metalen constructie, als een soort uitdaging, de felle kleur van de Geelkappen heeft.

Toen we eenmaal aan de klim begonnen waren, konden we hem niet meer zien. Vanaf de eerste stap-pen zoog de gestage stroom pelgrims ons mee in zijn trage voortgang naar de top, stoppend bij elk van de ontelbare kleurige chortens om er weer een gebeds-doek op te hangen. Geen struik, geen uitsteeksel of er hingen vlaggetjes aan alsof ze gepavoiseerd wa-ren voor een vlootschouw. Op hun hurken tegen de heuvel griften beeldhouwers dezelfde aanroepingen in scherven leisteen die los waren gekomen; andere arme sloebers kochten die ex voto's om ze even ver-der neer te leggen, boven op enorme stapels stenen die ze op moesten klauteren. Even hard als de berg afbrokkelde, herstelde hij zich weer tot een stapel liturgische inscripties. Hogerop waren de steiltes geschminkt met schilderingen in blauw en oranje: honderden boeddha's, trillend in warrelingen rook die hun madonnaglimlach verkoolden, naar wie de pelgrims hun armen uitstrekten. Onder dit getijden-boek dat aan elke vorm van erosie was blootgesteld had ik het gevoel heel dicht bij de hemel te zijn, en dus misschien bij de betekenis van de eeuwigheid.

In een bocht of een opening die in de rots was uitgehakt zag je soms ver beneden je het onwezenlijke bouwsel van de Potala. En elke keer dacht ik aan Bastien in zijn ziekenhuisbed, aan wat hem naar dat uiteindelijk zo minuscule doel had kunnen leiden.

Plotseling waren we op de top, voor de betonnen sokkel waarin de metalen constructie van de antenne was verankerd; een roofdierenkooi die met zijn stervormige geometrie een belediging was voor de berg. Daarbuiten zat een oude Tibetaan met kaalgeschoren schedel op zijn knieën hartstochtelijk zijn mantra's op te dreunen, waarbij hij zichzelf af en toe onderbrak om door de tralies een plengoffer van rijstalcohol te gieten.

Zevenentwintig jaar na de verwoesting van de tempel trokken de Tibetanen er nog steeds met duizenden tegelijk heen, hingen zonder iets te veranderen aan hun gewoontes hun gebeden aan de stijlen van de mast, brandden hun wierookstokjes, knielden ervoor neer met onaangetaste devotie. De tempel van de geneeskunde was niet verwoest, hij was alleen onzichtbaar, immaterieel geworden.

In die schitterende en koppige toewijding aan de voet van een hoop schroot, had Tom ernstig gezegd, zou men op een dag het symbool van een uniek verzet erkennen, even fantastisch als het land waar het was begonnen.

17

Vanaf het eerste moment had dokter Sudharsan hun vertrouwen ingeboezemd. Hij was een Indiër van een jaar of vijftig, ietwat gezet, maar om door een ringetje te halen in zijn Nehru-pak, met een witte topi op zijn zilvergrijze haar. Naast het Engels, dat hij volmaakt beheerste, beschikte de goede man ook over een keurig Frans. Nadat hij Bastien lang had onderzocht, was hij geruststellend over zijn toestand geweest, zonder overigens te verbloemen dat er een serieus gevaar voor herhaling was: zolang hun vriend niet grondig werd behandeld, konden de oorzaken van zijn beroerte opnieuw hetzelfde effect hebben. In afwachting van een scan zou hij de dosering van de bloedverdunners verhogen, het hart in de gaten houden, en voor het vertrek een urinekatheter aanleggen om te zorgen dat hij in het vliegtuig niet op hoefde te staan.

Het afscheid van Tom was frustrerend geweest. Rose verweet zich dat ze hem in de verwarring van Bastiens transfer naar het vliegveld niet uitvoeriger had bedankt. Na de belofte om elkaar te schrijven en misschien op een dag terug te zien, was ze haastig in de ambulance gestapt. Toen ze haar nek rekte voor een laatste groet was ze teleurgesteld door zijn reactie: hij had haar een kus toegeworpen, en vervolgens zijn rug naar de wind gedraaid om een sigaret op te steken. De rode gloed van de aansteker op zijn dik ingepakte gezicht bleef een oneindig triest beeld.

Rose sliep tot de tussenlanding in Guangzhou. Na twee uur wachten gingen ze aan boord van een vliegtuig van de CAAC, de Civil Aviation Administration of China, naar Parijs, als laatsten, zodat ze helemaal voorin konden zitten, ver van nieuwsgierige blikken.

Bastien zit aan het gangpad, in een lege rij stoelen. Sudharsan heeft het infuus opgehangen aan een apparaat dat in de klep van het bagagevak geklemd zit, en heeft daarna de draagbare hartmonitor die hij uit Nepal had meegenomen aangesloten. Het apparaat staat naast hem op de stoel voor die van zijn patiënt. Rose doet haar veiligheidsriem om aan de andere kant van het gangpad. De oude man ziet er moe uit. Hij lijkt er slechter aan toe dan die ochtend. Ze is een beetje ongerust als ze hem bij vlagen in een onrustige slaap ziet wegzakken. De enige woorden die hij tot nu toe gesproken heeft, waren om de bemanning voor hun goede zorgen te bedanken. Het boordpersoneel is allervriendelijkst voor hen vanaf het moment dat ze in het vliegtuig zitten, al merk je wel dat ze het vervelend vinden dat er een zieke aan boord is.

Het toestel begint te taxiën, maakt abrupt vaart en stijgt op in de regenvlagen die over de baan jagen.

Er gaan drie uur voorbij. Maaltijden zijn geserveerd en weer weggehaald. De stewardessen delen in plastic verpakte kussens, dekens en toilettasjes uit. De passagiers maken zich klaar om te gaan slapen.

Rose is net voor de vriendelijke aandrang van een purser gezwicht en heeft een miniflesje whisky met ijsblokjes aangenomen. Ze valt bijna in slaap als Bastien haar vraagt om naast hem te komen zitten.

'Hebt u iets nodig?' vraagt ze, haastig gehoorzamend.

'Nee, ik wil alleen een beetje praten… Is dat goed?'

'Ja natuurlijk! Dat hoeft u toch niet te vragen?'

'Gisteren, al die tijd dat ik in coma lag, kon ik me niet bewegen, zelfs mijn ogen niet opendoen, maar ik hoorde alles wat er om me heen werd gezegd.'

Rose voelt hoe haar hals dieprood kleurt:

'Neem me niet kwalijk… Ik schaam me. Ik moest mijn hart luchten, het is niet makkelijk, weet u…'

'Het geeft niet, Rose. Integendeel, ik ben je heel erkentelijk voor je vertrouwen. Ik heb lang nagedacht over een manier om je te helpen die bezoeking te overwinnen. Ik wilde een paar dingen tegen je zeggen die me passend en nuttig lijken… Dat je moeder niet uit wanhoop heeft gehandeld, maar uit compassie, dat ze sterker is geweest, waardiger dan haar beul. En ik heb eindelijk begrepen dat een geheim alleen met een ander geheim beantwoord kan worden. Dus vergeef me, hier is het mijne:

In juli 1943 ging mijn broer Gilles bij de Waffen-SS, om precies te zijn bij de Sturmbrigade "Frankreich" die net was opgericht. Hij was een rasechte antisemiet, net als onze vader, een enthousiast lezer van Maurras en Alphonse de Châteaubriand, en zijn geest was beneveld door Keltisch ridderschap en de schallende hoorns van de slag bij Roncevaux; een van die "helden uit de Ilias", gedreven door de droom van een roemvolle dood in de overwinning. Mijn vader gaf hem zijn zegen en hij ging samen met anderen naar het trainingskamp Sankt-Andreas, even buiten Sennheim, in de geannexeerde Elzas. Drie maanden later kwam hij op verlof thuis in zijn fonkelnieuwe uniform, gespierd en gehard, een ander mens. De Duitsers, zei hij, bouwden goedschiks of kwaadschiks aan een nieuwe wereld, gegrondvest op een elite van intelligentie en ras. Je moest een keus maken, net als in de tijd van Filips de Schone: de kant van de nieuwe Tempeliers kiezen of afzien van alle eer, alle roem... Vader feliciteerde hem, hij was te oud om zich bij hem te voegen, maar deelde zijn overtuigingen. Niets had hem trotser kunnen maken dan dit engagement.

We dronken die avond champagne en aten een truffelomelet om het nieuwe jaar te vieren.

Later die avond nam Gilles me apart. Hij begreep wel dat ik nooit een krijger zou worden; ze hoefden niet op mij te rekenen voor dat ridderschap van de Nieuwe Orde. Maar om de Ronde Tafel zaten niet alleen Lancelot en Galahad, ook Merlijn met zijn betoveringen, de geheimzinnige kracht waar geen queeste buiten kon. In Sennheim had hij gehoord over jonge rekruten die zich voor de komst van deze betere wereld inzetten. Mensen zoals jij, Paul, literairen, gepassioneerde oriëntalisten die bij de Tibetaanse Brigades van de SS werkten. Het doel was met geestelijke inspanningen de opbloei van de arische kracht te bevorderen en een steentje bij te dragen op het terrein van de spiritualiteit. Niets mocht veronachtzaamd worden. Voor hen geen uniform, geen andere wapenrusting dan die van de kennis; ik zou nooit een voet op het slagveld hoeven zetten. Het was de kans om me met hart en ziel te wijden aan iets wat me altijd had begeesterd, tibetologie, Sanskriet, mandala's... Ik heb met de juiste mensen over jou gesproken, besloot hij; als je instemt, neem ik je mee.

Twee weken na dat gesprek begon ik aan mijn studie in Berlijn, in een *Burg* die omgebouwd was tot klooster, waar wij met een dertigtal novices waren. Met kaalgeschoren schedel en gehuld in rode gewaden volgden we het onderwijs van een paar Tibetaanse monniken, onder leiding van een lama uit Ganden. Ik had geen idee wat de Duitse motieven voor dit instituut waren, ik zag er oprecht slechts een middel in om mijn kennis van een onderwerp dat me na aan het hart lag te vervolmaken. Ik leerde in twee jaar Tibetaans, maakte vorderingen in het Sanskriet, en bestudeerde de grote teksten van het lamaïsme. Ik scheen aanleg te hebben; mijn leraar, de lama Rimpoche, zag veel in mij. Als onze opleiding in Berlijn voltooid was, zouden we het voorrecht hebben naar Tibet te gaan voor de laatste etappe van deze initiatie. Pas daar zou zich de diepere betekenis van de weg die we hadden afgelegd aan ons openbaren.

We lazen geen kranten, we hadden geen toegang tot informatie van buiten, zomer en winter liepen we op blote voeten. Meditatie, gezang, oefening in de zandmandala, lezen en bidden... Ik heb zelfs geleerd beeldjes van boter en gerst te maken, ze te verven. We leefden in Berlijn als echte monniken in de vallei van de Yarlung!

Half april 1945 naderde voor mij een soort wij-
ding. Als enige van mijn kameraden had ik mijn reis
naar Lhasa verdiend. Mijn geestelijk meester bereid-
de me voor op deze cruciale ervaring, en zette me
precies de etappes uiteen die ik nog moest voltooien.
Als we eenmaal onze religieuze verplichtingen aan
de Jowo waren nagekomen, zouden we samen de
terrassen van de Potala beklimmen; doordrongen
van alles wat ik had geleerd, van alles wat ik was geworden, zou ik met hem naar de top van de Chapkori
moeten kijken. Dan was zijn onderwijs voltooid: dan
had ik de Middernachtsberg bestegen.

Een week later, op 24 april, trok het Rode Leger
Berlijn binnen.'

Bastien zwijgt, overweldigd door wie weet wat
voor visioenen van gruwelen en wapengekletter.

'U hebt bij de SS gezeten…'

'Op papier althans. Het is niet om me vrij te pleiten, maar ik heb nooit een geweer vastgehouden of
deelgenomen aan iets waar ik me tegenwoordig voor
zou schamen.'

'U hebt bij de SS gezeten,' herhaalt Rose met een
strakke blik.

'Ja. Ik heb er de rest van mijn leven voor geboet.
En in die blik lees ik dat het nog niet afgelopen is…'

'Daarna, na de val van Berlijn?'

'Ik ben door de Russen gevangengenomen en
geïnterneerd. Eerst in Sachsenhausen, daarna in
Écrouves, voordat ik in 1947 naar Lyon werd gere-
patrieerd, waar ik uit mijn politieke rechten werd
ontzet en werd vrijgelaten. Pas toen kreeg ik nieuws
over mijn familie: Gilles was in Polen gesneuveld
bij de eerste frontaanval, aan de rivier de Visloka;

mijn vader had zich een kogel door het hoofd gejaagd toen hij het nieuws hoorde. Hij was naast mijn moeder begraven, op de Croix-Rousse begraafplaats. Het vervolg kent u zo'n beetje. De jezuïeten van het Saint-Luc-lyceum herinnerden zich dat ik geen slechte leerling was geweest en gaven blijk van mededogen…'

'Neem me niet kwalijk, maar ik moet dat even verwerken… Ik ga proberen wat te slapen, anders stort ik in.'

Rose staat op en loopt naar de toiletten achterin, om haar benen te strekken. Aan beide kanten van het gangpad zijn de passagiers in slaap gevallen, met een maskertje op hun ogen, in de onfatsoenlijke wanorde van een slaapzaal. Veel oosterlingen, een paar Aziaten, een wereldje dat versteend lijkt door de betovering van een boze fee. Twee stewardessen lopen oplettend tussen de stoelen door; helemaal achterin, in de rookafdeling, waar het stinkt naar oude tabak, neemt een oude Chinees de laatste trekken van zijn sigaret onder het lezen van de *China Daily*.

Ze gaat weer op haar plaats zitten, aarzelt tussen nog een whisky en een valium, maar kiest voor het slaapmiddel. De dokter dommelt, zijn hoofd wiegelt schokkerig. Vanuit een ooghoek ziet ze Bastien in het boordtijdschrift bladeren. Hij stopt bij een pagina die gewijd is aan de onderwaterfauna en begint zachtjes te lachen. Het is voor het eerst dat ze hem dat ziet doen.

'Wat is er zo grappig?'

'De Analoge Berg…'

Hij geeft haar het tijdschrift aan en laat met gesloten ogen, een glimlach om de lippen, zijn stoel naar achteren zakken. Op de foto is een tandbaars te zien, die nieuwsgierig zijn neus uit een rotsspleet steekt. Ze slaat het tijdschrift weer dicht en legt het op het tafeltje. Ondanks zijn bekentenissen blijft deze man een raadsel dat ze maar niet kan ontcijferen; ze voelt opnieuw een immense, wollige, glanzende, verraderlijke tederheid voor hem. Maar nu zwerft ze weer over de hellingen van de IJzeren Berg. Ze voelt zich gekweld, verbitterd, opgejaagd. Ze rilt, haar gedachten zijn versnipperd, wankelmoedig, vaag. Haar hart vult zich met een onbegrensde droefenis. Niemand herkent haar. Zelfs Paultje, die een vogel probeert te vangen, loopt zonder haar te zien door haar lichaam heen. Ze zoekt een barst, een spleet om die leegte een plek te geven, de berg begint te beven, het versterkte fluiten van een duivenorkest gaat door merg en been.

Rose doet haar ogen open. Dokter Sudharsan buigt zich over het lichaam van Bastien; uiteindelijk komt hij weer overeind en draait zich hoofdschuddend naar haar toe, met een treurig gezicht, meer niet. Hij zet het geluid van de monitor uit, wist het zweet dat op zijn voorhoofd parelt weg. Een van de stewardessen heeft haastig het gordijn tussen de eerste klas en de rest van de cabine dichtgetrokken. De purser overlegt met de dokter en neemt hem dan mee naar de cockpit. De gezagvoerder luistert naar hun verslag, fronst zijn wenkbrauwen en zet zijn pet recht op zijn oren:

'Vlucht 6834 Guangzhou-Parijs, sterfgeval aan boord, ik herhaal, sterfgeval aan boord. Passagier Bastien Lhermine. Tijdstip van overlijden zes uur GMT, plaatsbepaling…'

Hij werpt een blik op het radarscherm voor zich:
'Plaatsbepaling Berlijn.'

Er glijdt een druppel pus uit de neusgaten van Bastien. Terwijl twee stewards zijn lichaam in een plastic lijkwade verpakken, komt een stewardess naar de jonge vrouw toe.

'Het spijt me, mevrouw, zo is het protocol…'

De aarde gaat door met draaien, het vliegtuig gaat door met in de wolken duiken, de passagiers gaan door met slapen.

Rose kijkt ingespannen toe.

18

Ja, dat is ongeveer de manier waarop Bastien is ge-
storven. Ik moet je het verhaal iets te vaak hebben
voorgekauwd, dat je het zo klinisch kunt beschrijven... Aan dat laatste hoofdstuk merk ik dat je tekst
goed genoeg in elkaar zit om aan lezers te worden
voorgelegd, en dat verandert de zaak, Paul. Dat verandert echt een heleboel. Ik weet hoe belangrijk jij
de figuur Bastien vindt, wat een kinderlijke verering
je aan zijn nagedachtenis wijdde. Eerlijk gezegd geloofde ik ook niet dat je je roman ooit af zou maken... Nu sta ik met mijn rug tegen de muur, er zijn
dingen die je moet horen voordat je het verslag van
een verlossing uit een ver verleden publiceert.

Bij aankomst in Parijs werd zijn lichaam door de
brandweer afgevoerd; later heb ik gehoord dat hij
gecremeerd is. Ik weet zelfs niet waar zijn as is gebleven, en ik hoef het niet te weten ook. Je kent mijn
afkeer van begraafplaatsen.

In Lyon heb ik mijn leven weer opgepakt. Hoe
vreemd het ook klinkt, ik had me met mezelf ver-
zoend, was bevrijd, alsof ik de bevestiging had ge-

kregen – ik herinner me dat ik het zo formuleerde
– dat de tumor in mijn borst waar ik me zorgen over
maakte een doodgewone vetknobbel was. Dat korte
verblijf in Tibet had een vóór en een ná gehad, dat
heb je zelf geschetst.

Laatst wilde ik verdergaan en de achtergronden
van Bastiens ervaring voor je reconstrueren. Be-
roepsdeformatie waarschijnlijk… Ik hoor je hier al
mopperen! Maar ik had me gewoon in mijn kop gezet alles uit te zoeken over die 'Tibetaanse Brigades'
waarvan ik op grond van zijn verhaal klakkeloos had
aangenomen dat ze bestonden. Dat was maar goed
ook, zoals je zult merken, ook al had ik de uitkomst
nooit kunnen voorzien!

Ik ben heel lui op internet begonnen. Toen ik
bij Google 'nazi's' + 'Tibet' intypte, kreeg ik maar
liefst anderhalf miljoen resultaten! En wat voor resultaten! Een walgelijk ratjetoe van occultisme en
welwillende fascinatie voor de Nieuwe Orde van het
Derde Rijk. Als je die flauwekul moet geloven had
de SS in Tibet een negatieve-energiecentrale gezocht
en gevonden, een soort magische bron van duivelse
kracht.

Op een heleboel sites kwamen een paar namen
die ik niet kende steeds terug: Agartha, Vril, en
het Thule-genootschap. Daar stond te lezen dat Tibetaanse monniken in Berlijn hadden geijverd voor
deze esoterische toenadering en zelfs in de nazi-
legers hadden meegevochten. Sterker nog, Hitler
was niet dood! Nadat hij de Graal had verworven,
was hij erin geslaagd zich ergens onder het ijs te ver-
schansen, in een geheime basis waar hij verschrikkelijke oorlogsmachines vervaardigde: de vliegende

schotels die voor het eerst in de jaren vijftig zijn waar-
genomen, en voor ufo's werden aangezien. Je zag te-
keningen, hoe ze werkten, er waren zelfs foto's!

Je zult merken dat alle halvegaren met elkaar gemeen hebben dat ze nooit hun bronnen citeren, en
als ze het doen, verwijzen ze naar elkaar. De ma-
chine draait rondjes, zoemt om één onweerlegbare
gebeurtenis heen die voor iedereen als bewijs geldt:
de beroemde expeditie van Ernst Schäfer naar Tibet
in 1938-1939.

Maar ook daar schieten de fantasieën alle kanten
uit… onder de dekmantel van een antropologische
studie zou Himmler steun hebben verleend aan de
reis naar Tibet van deze onderzoeker en zijn team
met een mystiek doel: de oorsprong van het arische
ras vinden, de 'Vril' bemachtigen, de bovenaardse
energie van de 'Wereldkoning'. Als je hen moet geloven heeft Schäfer van zijn reis de 'tantra van Kalachakra' meegebracht, een soort toverboek dat de
bezitter onsterflijkheid garandeert. Om nog maar te
zwijgen van een brief waarin de Dalai Lama aan Hitler het gezag over de arische wereld toevertrouwt.

Geloof me, Paul, dit is maar een samenvatting!
Het heeft me een paar dagen gekost om al die waan-
zin op waarde te schatten. Na enige aarzeling heb ik
alle sporen stuk voor stuk gevolgd, voor elk ervan
serieuze auteurs geraadpleegd, mensen die echt de
archieven hadden nageplozen over een bepaald onderwerp. Niets, ja, je hoort het goed, absoluut niets
van wat ik had gelezen klopte! De verbanden tussen
de nazi's en Tibet hoorden tot het rijk der fabelen,
van a tot z verzonnen, een moderne mythe die op
twee of drie fragmenten van slechte literatuur be-

117

rustten: puur fictie, geboren uit fictie die zichzelf tot in het oneindige herschept en verandert.

Dat was de eerste etappe van mijn onderzoek. Vergeef me mijn bondigheid, maar ik wil je graag zonder franje laten zien hoe deze valseredenatiema-chine werkt.

19

Rose zit in de werkkamer van professor Matthew Engelhardt tegenover de indrukwekkende bibliotheek van Tibetaanse literatuur die hij in de loop van zijn carrière heeft verzameld. Een wand waar stapels folianten liggen, zorgvuldig in saffraangele stof verpakt. De professor heeft een zwaar Amerikaans accent, maar de traagheid waarmee hij naar het juiste woord zoekt, geeft al zijn opmerkingen een soort autoriteit waarin vriendelijkheid gepaard gaat met ernst. Ze luistert en maakt aantekeningen.

'In 1935 sticht Heinrich Himmler de *Deutsche Ahnenerbe, Studiengesellschaft für Geistesurgeschichte.* Het doel van deze sibbenkundegroep is de studie van de geestesgeschiedenis van de oudheid bevorderen, dat wil zeggen het verzamelen van archeologische bewijzen van Germaanse heldendaden sinds het paleolithicum. Kortom, de verloren herinnering van het arische ras herstellen.'

'Ja, ja,' gaat hij verder als reactie op de grimas van de jonge vrouw. 'Maar in die tijd, laten we zeggen sinds 1860, is de scheiding ariërs-semieten een dogma dat deel uitmaakt van de geestelijke bagage van heel ontwikkeld Europa. Emmanuel Kant geloofde al in de Indiase oorsprong van de wetenschap, vergeet niet dat hij de geboorte van de eerste mens in Tibet situeerde! Zelfs Renan fantaseert over de Asgaard en hoopt dat Duitsland, door een weloverwogen eugenese, op een dag in staat zal zijn midden in Azië een koninkrijk van zuiver Scandinavische helden te reconstrueren! De Fransen zijn kortaf van memorie... Wat zegt u? O, neem me niet kwalijk, "kort", ja, "heel kort"...

Hoe dan ook, Himmler is een fanaticus die aan de superioriteit en anterioriteit van het Noordse ras gelooft. Als absoluut heerser van de SS, hoofd van alle Duitse politiediensten, inclusief de Gestapo, is hij het meest geschikt om de elite te vormen die de oude orde van Teutoonse ridders opnieuw gestalte moet geven. Omringd door vreemde snoeshanen als Herman Wirth, Edmund Kiss en Walther Wüst, ontwikkelt hij een onderzoeksprogramma dat tot doel heeft alles te verzamelen wat betrekking kan hebben op de "arische voorvaderen van de Goten" en zo de anterioriteit van de Germaanse stammen ten opzichte van de Grieks-Latijnse of Aziatische beschavingen te bewijzen.

Vanuit deze monomanie financiert hij verscheidene pseudowetenschappelijke expedities, de ene naar Scandinavië, in het noorden van Bohuslän, de andere naar Finland. Er wordt gezocht naar sporen van een Indo-Europese oertaal, of ten minste naar iets wat bij ontcijfering "hiëroglyfen van het noorden" zouden kunnen lijken. Met hetzelfde doel maakt de architect Edmund Kiss een eerste reis naar Bolivia. Hij komt

terug in de vaste overtuiging dat de tempels van Tiahuanaco meer dan een miljoen jaar geleden door een
ras van noordse heersers zijn gebouwd.'

'Het gaat hier zeker over de man die de stellingen
van Hörbiger aanhing?'

'Precies. Het is de val op aarde van de "derde
maan", zo'n honderdvijftigduizend jaar geleden, die
de Apocalyps en het opkomen van een nieuwe gedegenereerde mensheid zou hebben veroorzaakt. Kiss
beweerde dat hij daar bewijs voor had gevonden op
een Incakalender in Tiahuanaco. In februari 1939, tijdens een ontdekkingsreis in Libië, ontdekte hij zelfs
geologische sporen van deze ramp in de kloof van
Nalut!

Zodra Himmler hoort dat Ernst Schäfer een wetenschappelijke expeditie voorbereidt, probeert hij
die onmiddellijk ten bate van zijn eigen doelen aan
te wenden: als de jonge zoöloog bereid is Kiss mee
te nemen om daarginds de theorieën van Wüst over
de Europese oorsprong van de Aziatische elites te
staven, zal de *Ahnenerbe* zijn reis financieren. Schäfer
weigert en vindt andere geldschieters, maar problemen om visa te bemachtigen – en ongetwijfeld zorgen om zijn carrière – dwingen hem toch om in te
binden. Zijn expeditie mag uiteindelijk zonder Kiss
vertrekken, maar onder de vlag van Himmler, en alleen als alle leden lid zijn van de SS.

Schäfer laat zich bijstaan door een geoloog, een
cineast, een logisticus en een antropoloog, Bruno
Beger. De equipe was van plan een geologische, bo-
tanische, zoölogische en etnografische synthese van
Tibet te maken. Toen ze in Lhasa aankwamen, was
dat ook precies wat ze deden. Bruno Beger deelde de

raciale vooroordelen van de nazi's, hij was later zelfs betrokken bij de ergste gruwelen van de *Endlösung*, maar in Lhasa pleegde hij alleen maar antropometrisch onderzoek en maakte hij afgietsels van Tibetaanse gezichten, en daarnaast verzamelde hij traditioneel etnografisch materiaal. Bij terugkeer had het onderzoeksteam van Schäfer indrukwekkende verzamelingen insecten, herbaria, granen, levende dieren, nomadententen, muziekinstrumenten, duizenden foto's en genoeg opnamen om een lange documentaire over deze Duitse primeur in Tibet te maken.'

'Maar de tantra van Kalachakra dan?'

'Verlakkerij! En dan nog had het allemaal niets voorgesteld. Er is misschien verwarring – toevallig of opzettelijk, dat is een ander verhaal – met de kopie van de Kanjur die Schäfer heeft meegebracht: een van de canons van het lamaïsme die Beger aangeboden had gekregen als dank voor zijn medische hulp.'

'Rest nog de beroemde brief van de Dalai Lama aan Hitler…'

'Niet van de Dalai Lama, die was nog maar een kind in die tijd! Het team is ontvangen door Reting Rimpoche, de regent van Tibet. Op aandringen van Schäfer heeft hij inderdaad een brief geschreven voor de Duitse kanselier; zuiver beleefdheidsfrasen, vergezeld van een paar traditionele geschenkjes.

De expeditie werd met veel omhaal door Himmler ontvangen, maar beleefde slechts korte roem doordat een paar weken later de oorlog uitbrak. Hitler interesseerde zich zo weinig voor deze geschiedenis dat hij Schäfer nooit heeft ontmoet en drie jaar wachtte voordat hij kennis wilde nemen van de brief die door de regent was geschreven. Schäfer had de Duitse vertaling toevertrouwd aan twee vooraanstaande tibetologen, Helmut Hoffmann uit Berlijn en Johannes Schubert uit Leipzig. Hoffmann maakte een getrouwe vertaling, terwijl Schubert het nodig vond er een nazisausje overheen te gieten.'

De professor bladert door een stapeltje fotokopieën die hij voor Rose heeft gemaakt; hij trekt er een blaadje uit en vraagt haar dichterbij te komen.

'Deze zin, bijvoorbeeld. In het Tibetaans staat er: "Ik maak het goed en zet mij naar beste kunnen in voor onze religieuze verplichtingen en regeringszaken." In de vertaling van Schubert wordt dat: "Nu spant u [Hitler] zich in om een duurzaam rijk te scheppen in vreedzame voorspoed, gebaseerd op rassengrondslagen." Natuurlijk was het de foute vertaling van Schubert die verbreid werd, en die een Amerikaanse academicus nog in 1995 wist te gebruiken in een artikel over Tibet en de *Ahnenerbe*... Mensen verkiezen de waarheden die hun het beste uitkomen, weet u.'

'Hoe heette die regent ook weer?'

'Reting Rimpoche.'

'Rimpoche...' herhaalt Rose toonloos.

Maar de professor is nog niet klaar met zijn betoog:

'Desnoods door ze te verzinnen,' zegt hij terwijl hij een boek openslaat. '*Gespräche mit Hitler*, van Hermann Rauschning, oorspronkelijke editie uit 1939. Deze figuur is al jaren uit Duitsland verbannen als hij deze serie gesprekken publiceert. De kanselier wordt erin beschreven als een demon, een bezetene... Ik zal een passage voorlezen: "Men heeft mij over een van die crises verteld met details die ik niet zou wensen te geloven indien mijn bron niet zo betrouwbaar was. Hitler stond in zijn kamer en keek met verwilderde blik om zich heen: 'Hij is het! Hij is het! Hij is gekomen,' kreunde hij. Zijn lippen waren blauw aangelopen, het zweet droop van hem af. Plots noemde hij getallen zonder enige betekenis, dan woorden, flarden van zinnen. Het was verschrikkelijk. Hij gebruikte volkomen onbekende, bizar samengestelde uitdrukkingen. Toen brulde hij plots: 'Daar! Daar! In de hoek. Wie is daar?' Hij stampte op het parket en schreeuwde."'

'Het lijkt wel iets uit de *Exorcist*!'

'U had het niet beter kunnen zeggen… De vijand demoniseren, dat was het doel van deze manoeuvre. Maar we moeten tot 1985 wachten voordat een Zwitserse historicus de fraude aan het licht brengt. De gesprekken van Rauschning zijn uit de lucht gegrepen, het is propaganda. En opnieuw een "literaire" vervalsing, want Hitler krijgt heel sluw citaten van Ernst Jünger, Nietzsche en zelfs – aan het eind van de passage die ik u net voorlas – de Maupassant in de mond gelegd!'

De professor legt zijn leesbril op tafel. Hij glimlacht, tevreden over het effect van zijn woorden:

'De nazi's en occulte wetenschappen? Afgezien van de theosofische humus waarop de rassenleer en de fictie van een Germaanse arische wereld zijn gegrond, is er niets. Hitler, Rosenberg, en zelfs Himmler hoorde nooit bij het Thule-genootschap, dat in 1925 werd ontbonden. Een van de weinige nazi-onnozelaars die in het esoterisme geloofden, was Rudolf Hess. Sterker nog, vanaf 1938 heeft Hitler openlijk het werk van de Ahnenerbe afgekeurd, tot groot ongenoegen van Himmler. Een jaar daarvoor had hij zelfs per decreet de vrijmetselaarsloges en theosofische of aanverwante verenigingen in heel Duitsland ontbonden. Begrijp me goed, het gaat me er niet om de nazi's van wat dan ook vrij te pleiten, maar de historiografie is al zo complex dat je die niet ook nog moet manipuleren. We kunnen, we moeten het nazisme van heel wat misdaden beschuldigen, maar zeker niet van het hebben van occulte doelstellingen.

De nazi's en Tibet? De feiten zijn hardnekkig, lieve mevrouw: tot aan het eind van het Derde Rijk zijn er in Duitsland nooit Tibetaanse "kloosters" of "Brigades", of zelfs monniken geweest om de tanden in te zetten! Alleen een wetenschappelijke expeditie, geleid door een vrij onvolwassen, vrij onnozele en ambitieuze jongeman die zich heeft ingelaten met de machthebbers van zijn tijd.'

Matthew Engelhardt stopt de fotokopieën in een enveloppe en geeft die aan Rose.

'Als mensen niet meer in God geloven,' zegt hij zuchtend, 'is het niet zo dat ze nergens meer in geloven, maar zijn ze juist bereid alles te geloven… Een opmerking van Chesterton, als ik me goed herinner, en het vat vrij goed samen wat ik u zojuist heb verteld.'

20

Je hebt er geen gras over laten groeien, zie ik. Het is inderdaad zo dat ik er niet toe kom de resultaten van mijn onderzoek te redigeren, maar je had nog even moeten wachten… We zijn gewoon pas halverwege. En verder, dit even terzijde, ben ik niet zo blij met de rol van decorstuk die je me bij Engelhardt laat spelen. Ik had al heel wat boven tafel gehaald voordat ik naar hem toe ging.

Om op Bastien terug te komen, we zullen nooit weten waar hij zijn kennis over Tibet vandaan had, maar hij heeft me kletspraat verkocht; mooi verpakt, maar wel kletspraat. En weet je, het ergste is dat ik het hem onmogelijk kwalijk kan nemen. Uiteindelijk heb ik hem liever als leugenaar dan als handlanger van de nazi's. Ik heb mezelf er al bijna van overtuigd dat hij uit zijn laatste krachten en de rijkdom van zijn eruditie heeft geput om deze akelige grap te verzinnen. Misschien was zo'n nachtmerrie nodig om mij van de mijne te bevrijden? Geen idee. Het blijft een feit dat hij mijn fout op zijn schouders heeft genomen, de schuld heeft uitgewist. Ik weet nu vrijwel zeker dat hij heeft voorzien dat die stomme brigades vragen zouden oproepen, en me op die manier heeft gedwongen het demystificatietraject af te leggen waarvan ik je net verslag heb gedaan. In zekere zin dezelfde weg die ik mijn moeder heb opgedwongen met mijn hang naar de waarheid.

Het is nogal verwarrend, geef ik toe, een mythe te ontdekken waarvan je het bestaan niet kende, en tegelijkertijd te horen dat die zuiver op lucht is gebaseerd. Maar je mag Bastiens verhaal niet vertellen zonder de waarheid te reconstrueren. Dat zou misdadig zijn, Paul, ik meen het! Als je je roman voltooit zonder duidelijkheid te scheppen over het bestaan van die brigades, werk je mee aan het verval van de rede dat het begin van deze eeuw verduistert; een wijdverbreide geestesverwarring waarin de diepste duisternis van de mens voedsel vindt. Als er iets erger is dan godsdienst, dan is het wel de mythe. Boeken zijn niet in staat de wereld te veranderen, maar vergeet nooit dat ze nog wel de middelen hebben om dat wat de wereld verscheurt te laten voortduren.

Veel liefs, *majne nesjomme*[*], ik hou van je!

[*] Jiddisch: mijn ziel.

EPILOOG

De fles whisky stond op een laag tafeltje, een Ardbeg Still Young van zestig procent waarvan het niveau al uren plechtig zakte, ondanks de afwisseling met thee. Twee kaarsen, groot en gegroefd als bamboe, hulden het interieur van de joert in een gouden half-duister. Roodgeschilderde en met bleekblauwe motieven versierde meubelen en palen, en het rad van stokken boven hen, vermenigvuldigden de weerschijn van de vlammen. Op de grond waren nog net een paar kelims te onderscheiden, en op de dwarsbalken van de wanden oude banieren met springende tijgers.

'Is er iets gebeurd tussen jullie?' vraagt Paul, op de nagel van zijn wijsvinger bijtend.

Tom snijdt de laatste plakjes droge worst voordat hij antwoord geeft.

'Heeft je moeder laten doorschemeren dat we iets met elkaar hebben gehad?'

'Nee, maar ze heeft nooit ontkend dat ze een beetje verliefd op je was.'

'Verliefd, zelfs "een beetje", dat geloof ik niet, het

was hooguit begeerte. Voor haar, net als voor mij trouwens.'

Hij steekt een sigaret op om zichzelf wat bedenktijd te geven. Van zijn nacht met Rose herinnert hij zich bijna niets meer – dat ging bijna altijd zo na Chinese wodka – behalve dat ze elkaar gekust hadden en toen gestreeld, door hun kleren heen. Er was waarschijnlijk 'iets gebeurd', want ze leek niet verbaasd over zijn gedrag de volgende ochtend. Hij weet nog hoe hij tegen haar rug aan stond, voor de spiegel, en aan haar haar trok; hij ziet hoe haar handen de rand van de wastafel omklemmen, haar broek half naar beneden is geschoven en hoe ze hem smeekt nog dieper tussen haar billen te dringen. Hij glimlacht als hij merkt dat hij bij de herinnering alleen al geil wordt.

'Nee,' bevestigt hij, 'er is niets gebeurd. In andere omstandigheden, misschien… Maar toen maakten we ons veel te veel zorgen om Bastien.'

Ze schrikken allebei op van een langgerekt gehinnik dat door de wind wordt aangevoerd.

'Portie Haver,' zegt Tom bedroefd. 'Hij heeft niet lang meer.'

'Is dat het paard dat ik zag toen ik aankwam?'

'Ja. Een przewalski… Zoals je ze op de fresco's van Lascaux ziet. Eigenlijk heet hij Lung Ta, de kinderen hebben hem die belachelijke naam gegeven. Ik ben er nu aan gewend. Hij gaat dood, ik ben er ziek van…'

Paul bestudeert hem terwijl hij een nieuw glas whisky inschenkt. Diepe rimpels om zijn ogen, de hals al slap, dun grijs haar: hij heeft de pest aan ouderdom, en aan wat die aanricht in onze gekwelde gezichten.

'Ik neem aan dat je niet helemaal hiernaartoe

bent gekomen om te vragen of ik met je moeder naar bed ben geweest?'

'Ik wilde meer over Bastien te weten komen.'

'Waarom heeft Rose nooit op mijn brieven geant-woord?'

'Heb je er veel geschreven?'

'Drie of vier, daarna heb ik het laten zitten…'

'Ik weet het niet,' zegt Paul, naar woorden zoe-kend. 'We hebben altijd een ingewikkelde verhou-ding gehad. Ze beschouwt me nog niet zo lang als een volwassene. Vanaf het moment dat ik over die brigades ben gaan schrijven…'

Tom kijkt hoe Paul een slokje uit zijn glas neemt. De zoon van Rose lijkt op de jonge man die hij zelf nog was tijdens zijn tweede verblijf in Lhasa. Min-der avontuurlijk waarschijnlijk, beter behoed voor de werkelijkheid, maar even onbehouwen. Hij weet hoeveel deze stap hem moet hebben gekost.

'Ik was onder de indruk van Bastien, zoals ieder-een die hem tegenkwam. Meer dan van je moeder, eerlijk gezegd. Hem had ik graag nog eens terugge-zien.'

Een windvlaag duwt de vilten doeken van de joert even omhoog. Het paard hinnikt weer, briest.

'Arm beest,' zegt Paul.

'Ik heb hem gegeven wat nodig is, hij valt zo in slaap.'

'Sorry hoor, maar zit het je niet dwars om hem buiten te laten verrekken, met dit weer?'

'Ten eerste "verrekt" hij niet, hij vertrekt, en verder is het een Mongools paard, gewend aan de steppe, aan de sneeuwstorm. Het zou misdadig zijn om hem in een stal te laten doodgaan.'

Tom staat op om de kachel bij te vullen. Een trek-gat blaast scherpe, bittere rook de ruimte in, die zich vermengt met de jaklucht.

'Wat verbrand je daarin?'

'Heide, jeneverbes... Meer is hier niet te vinden.'

'Waarom heeft hij dat verhaal aan mijn moeder verteld, ik bedoel, zo'n gigantische leugen?'

'Eerlijk gezegd denk ik dat hij haar alleen maar heeft geholpen in slaap te vallen... Een kind ver-wacht alles van een sprookje, behalve de werkelijk-heid. Verhalen over reuzen, heksen, kleine meisjes die door wolven worden verscheurd, maakt niet uit, zolang het je maar van je eigen angsten afleidt. Een moeder die haar kind probeert te troosten maakt zich geen zorgen over het waarheidsgehalte van wat ze verzint; ze voert alleen dingen ten tonele die haar verhaal geloofwaardig, spannend maken.'

'En zou ik niet het recht hebben om dat sprookje te vertellen?'

'Kijk naar Dan Brown en zijn *Da Vinci Code*. Het maakt me niet uit of die gast slecht schrijft of onzin verkoopt, het enige wat ik hem kwalijk neem, is dat hij zijn boek begint met de woorden: "Let op, alles wat u gaat lezen is de strikte waarheid, ik heb niets verzonnen", terwijl hij je vervolgens Roodkapje ver-telt.'

'Dus als ik schrijf "dit is een sprookje" kan ik doen wat ik wil?'

'Gewoon een kwestie van je eigen geweten. Wat je ook zegt, het zal mensen er niet van weerhouden hardnekkig in hun favoriete spoken te blijven gelo-ven. Inclusief het bestaan van Tibetaanse Brigades...'

Een nieuwe rukwind doet de joert opbollen. De

wind dringt onder de deur door, waardoor de vlammen van de kaarsstompjes flakkeren en vervolgens doven. Tom steekt ze weer aan met zijn aansteker.

'Het is zover,' zegt hij. 'Je hoort hem niet meer.'

'Wie?'

'Mijn oude makker Portie Haver.'

'Je was erbij toen Bastien viel. Is het echt gegaan zoals mijn moeder zegt?'

'Ja. Alles leek van tevoren gepland, het was indrukwekkend. Ik heb nooit aan toeval gedacht, niet met wat ik heb gezien…'

'En wat was dat dan?'

'Een overdosis luciditeit. Er zijn momenten van inzicht waarvan je niet meer herstelt.'

En na een korte stilte:

'In mijn geval is het op het Tiananmenplein gebeurd… Ik heb onmiddellijk daarna China achter me gelaten. En in één moeite door nog een heleboel andere dingen.'

De joert beeft nog een keer, maar zwakker. Met zijn blik op oneindig praat Tom verder.

'Als je moeder de moeite had genomen te schrijven, zou ik haar dingen hebben verteld die ik van Bastien heb gehoord, die keer dat ze ons tweeën alleen liet. Je kent me niet, maar ik ben vrij direct. Als je heel precieze vragen stelt, ontwijken de meeste mensen het antwoord niet. Dat gold ook voor Bastien. Toen ik hem vroeg waarom hij zijn hele leven conciërge was gebleven, antwoordde hij zonder blabla. Geen brigades natuurlijk, maar ook geen ernstige fout die hem te verwijten viel. Gewoon een collaborerende vader en een broer bij de SS. Alleen voor die ellende heeft hij een heel leven moeten boeten.'

De fles Ardbeg is leeg. Tom steekt zijn peuk weer aan en merkt dat hij tegen zichzelf heeft zitten praten: Paul is tegenover hem in slaap gevallen, met opgetrokken knieën tegen de armleuning van de stoel. Een *Dood van Adonis* geschilderd door Delacroix. Moeilijk voor te stellen dat hij dat joch pas een dag kent. Toen hij op de boerderij aankwam, stelde Paul zich voor als de zoon van Rose Sévère, de jonge vrouw die hij vierentwintig jaar geleden in Lhasa had ontmoet. Tom heeft zonder verdere uitleg een korte samenvatting gegeven van de laatste episodes van zijn leven. Na zijn terugkeer uit China had hij een paar jaar lesgegeven in Nîmes, waarna hij alles had laten vallen en zich in de Lozère had gevestigd. Nadat hij een ruïne had opgeknapt en een paar rijpaarden had gekocht, leefde hij van het organiseren van tochten over de Causse Méjean. Zijn vriendin deed aan alternatieve geneeskunde; tot aan haar dood had ze yogacursussen gegeven en 'vastenwandelingen' geleid. Zij was degene die deze joert uit Mongolië had laten komen. Vandaar de przewalskipaarden en het idee ze te fokken om het ras te behouden.

Een beste jongen, denkt hij als hij zijn hoofd tegen de rugleuning laat zakken, maar op zijn leeftijd kon ik beter tegen alcohol…

Toen hij zijn ogen opende, begon het daglicht door de openingen van de centrale kroon te sijpelen. Hij zette weer thee en maakte vervolgens Paul wakker.

'Ik wil je iets laten zien,' zei hij, terwijl hij hem een beker aanreikte. 'Drink op, dan gaan we.'

Paul kwam met moeite weer tot de wereld. Hij

kreeg een hoestbui en haalde zijn handen door zijn haar; er schroefde een schrille krijs door zijn slapen.

'Heb je wel eens van een hemelse begrafenis gehoord?'

'De vreetpartij van de gieren bij de Tibetanen… Of heb ik het mis?'

'Ik heb het in 1984 meegemaakt, in Lhasa. Geen lawaai maken, we moeten ze niet laten schrikken.'

Ze gingen zwijgend de joert uit en doken vrijwel meteen achter een rotsblok. Op een meter of dertig afstand, rond de paal waar Portie Haver aan was vastgebonden, bewoog een warboel van aasgieren. Het touw tussen het paaltje en de krioelende massa vogels trok een schuine streep over de horizon.

'Vale gieren,' fluisterde Tom. 'En ook een paar monniksgieren, die met die grijze kop… Ze waren sinds 1945 verdwenen. Het is gelukt ze weer terug te laten komen.'

Met hun kale nek en hun bek als een kromme schaar driftig in de ingewanden van het beest hakkend, scharrelden de vogels rond met een soort afgemeten haast. Hun kreten werden begeleid door zware vleugelslagen, plots hervonden evenwicht. De massa ziedde; soms dook er een kale schedel bovenuit die je met zijn gele oog dwong weg te kijken. Op een gegeven moment begonnen ze stram te huppen, om vervolgens in kleine groepjes weg te vliegen. Heel even was Paul hoog in de hemel bij hen. Gedragen door de laatste vlagen van de tramontane zweefde hij cirkelend boven het verlaten landschap, zag hij de joert als een soort schietschijf. Hij ontdekte zijn eigen gehurkte lichaam achter de rots en even verderop de witte vlek van de verspreide botten.

Iets, begreep hij, viel daar te leren.

'Vaarwel Portie Haver,' fluisterde hij, 'lang leve het windpaard...'

'Jij,' zei Tom met tranen in zijn ogen, 'jij mag terugkomen wanneer je maar zin hebt, jochie.'

Ver weg op de Causse leek de nacht zich terug te trekken naar andere onrust. Voor deze chaos uit spreidden zich gentiaanblauwe lappen lucht met het gloren van de ochtend.

ONTKENNING

Nieuwe stukken om bij het dossier over de brigades te voegen. Ik heb geprobeerd helder en duidelijk te zijn. Ik hoop dat je er goed gebruik van zult maken.

Om de weerslag van Tibet op het westerse occultisme te begrijpen, moeten we terug naar
het begin van de 17de eeuw, naar de tijd dat de
roomse Kerk, geschokt door Luthers Refor-
matie, met geweld reageert. De protestanten
worden vervolgd en monddood gemaakt, er
breken conflicten uit die een voorbode zijn
van de Dertigjarige Oorlog. In die context van
onrust en censuur verschijnen drie reformis-
tische manifesten die pleiten voor een terugkeer naar de zuiverheid van de oorspronkelijke Kerk. Uit voorzorg verschuilen de auteurs
zich achter een eerste verdichtsel, dat van
de 'geheime orde van de Rozenkruisers' en
de stichter daarvan, Christian Rosenkreutz.
Hoewel deze geschriften veel weerklank vonden, veroorzaakten ze tweestrijd en werden
ze veroordeeld als ketterij. Als de zogenaamde
adepten zwijgen, verklaart Heinrich Neuhaus
in 1618 dat de legendarische sekte naar 'een
mysterieuze plek' ergens buiten Europa is ge-
emigreerd.

*Waarom niet
naar de oudheid?
Je overdrijft,
mama!*

INDIA

Een eeuw later beweert Samuel Richter, alias
Sincerus Renatus, dat het toevluchtsoord van
de Broederschap der Rozenkruisers in India
ligt; het is voor het eerst dat de hermetische
christelijke traditie, die tot dan toe op Egyp-
te, de kabbala of de gnosis was gericht, zich
naar het Oosten richt.

Nou en?

In diezelfde geest sticht baron Gotthelf von Hund zijn vrijmetselaarsloge van de Strikte Observantie (1750). Hij beweert zijn occulte kennis te ontlenen aan 'onbekende Superieuren' die zich te zijner tijd zullen manifesteren.

DE HIMALAYA

In 1875 zal Helena Petrovna Blavatsky (achterkleindochter van prins Pavel Dolgorukii, een van de stichters van de loge van de Strikte Observantie!) bovenstaande motieven samenvoegen en beweren dat ze opdracht heeft gekregen een geheim genootschap te stichten naar voorbeeld van de Rozenkruisers: het Theosofisch Genootschap. Ze was gesommeerd door de 'Meesters van Wijsheid', die ze in Tibet heeft ontmoet, waar ze naar eigen zeggen zeven jaar heeft gewoond terwijl ze er nooit een voet heeft gezet... Hoewel ze in de Himalaya wonen, zijn deze Meesters geen inboorlingen, maar vluchtelingen die op het dak van de wereld een veilig gastland en onverstoorbare rust hebben gevonden. Omdat ze zich niet vermengd hebben, behoren ze tot het zuivere, oorspronkelijke arische ras, dat van de Atlantiërs! Joden en Arabieren daarentegen zijn volgens haar gedegenereerde ariërs ten gevolge van te grote rassenmenging. Wat de Afrikaanse stammen betreft, de 'wildemannen van Borneo' en andere Bosjesmannen, in hen moet je de Lemuro-Atlantiërs zien; een menselijke bevolking, dat wel, maar zeer dicht bij het dierenrijk gebleven.

Lieve meisjes volgen altijd de ideeën van hun overgrootvader, dat is bekend!

Om er nog een schepje bovenop te doen, combineert dit warhoofd haar moderne esoterisme met de boeddhistische mythe van Shambhala: de 'zuivere aarde' die door de klassieke Tibetanen beschreven is, wordt zo het verborgen koninkrijk van de overlevenden van Atlantis, de enige bewakers van de oude wijsheid. De theosofe communiceert door middel van telepathie met hen, en zij zijn zo welwillend om haar de *Stanza's van Dzyan* te dicteren, het werk waaruit zij haar kennis put.

Gruwel, ellende, een geopenbaard boek! Daar zijn er wel meer van geweest, denk je niet? En opzienbarender...

Een autobiografie van Jean Marquès-Rivière, *In de schaduw der Tibetaanse kloosters* (1929), hamert op hetzelfde aambeeld: er zijn wel degelijk mysterieuze magiërs in Tibet! Deze arme stakker, die vervolgd is wegens collaboratie met de Duitsers tijdens de bezetting, zal pas in 1982 zijn bedrog bekennen: zijn boek, zegt hij dan, was een jeugdzonde. Maar de illusie overheerst, temeer daar Alexandra David-Néel deze occultistische hersenschim heeft bevestigd in haar *Mystiek en magie in Tibet*.

Kijk eens aan, daar is ze weer!

AGHARTA

Alsof de mythe van Shambhala niet voldoende was, verzint Louis Jacolliot in zijn roman *De zonen van God* van a tot z die van de 'Agharta'. De Franse occultisten van het einde van de 19de eeuw eigenen zich deze nieuwe fabel toe, met name Saint-Yves d'Alveydre die dit ondergrondse koninkrijk onder de Himalaya tot in detail beschrijft; occulte machten bestieren

Overgangstoestand van een eerste schets die niet wil vlotten.*

* Zie nawoord

daar de menselijke soort dankzij hun bovennatuurlijke eigenschappen.

In *Dieren, Mensen en Goden* (1922), waarin hij
over zijn avonturen in het verboden Mongolië
vertelt, plagieert Ferdynand Ossendowski de
tekst van Saint-Yves d'Alveydre en bevestigt
het bestaan van Agharta. Hij voegt er nog
een snufje chiliasme aan toe: 'Op een dag,
in 2029 om precies te zijn, zullen de volkeren van Agharta uit hun onderaardse grotten
komen en op het oppervlak van de aarde verschijnen.' Ondanks het feit dat de auteur van
bedrog wordt verdacht, breekt de mysticus
René Guénon een lans voor het verhaal van
de avonturier; in *De Koning van de wereld* (1927)
bekrachtigt hij voor de komende decennia de
legende van de 'Tempeliers van Agharta'.

Op 13 april 2029 zal de asteroïde Apophis heel dicht langs de aarde komen… Allemaal de schuilkelders in!

DE VRIL

We hebben dus een 'occult Himalayaans koninkrijk', 'onbekende Superieuren', nu hoeven we alleen nog maar uit te leggen waar
die laatsten hun bovennatuurlijke kracht aan
ontlenen.

Daarvoor zorgt Edward Bulwer-Lytton,
de successchrijver van *De laatste dagen van Pom-
peï*, met de publicatie van *De mens der toekomst*
(1871). Deze sciencefictionroman voert een
volk van supermensen ten tonele, de Vril-Ya.
Deze 'ondergrondse Filosofen' paren absolute
kennis aan de buitengewone doeltreffendheid
van de Vril, zo'n geducht fluïdum dat het een
einde maakt aan alle oorlogen tussen mensen.

Opgesloten in een hol toverstokje dat door een kind wordt gehanteerd kan de Vril 'het meest geduchte fort neerhalen of met een vlam een lijn trekken, van het front tot de achterhoede van een leger dat in slagorde staat opgesteld'.

Dat is de eerste trap van de raket, Paul, een langzame verbrandingsmotor waarin fin-de-siècle-spiritisme, occulte Himalayaanse machten, toverstokjes en geherinterpreteerde utopieën samenkomen.

Dezelfde context, kortom, als voor sommige boeken van Edgar Poe, Conan Doyle, Rider Haggard of zelfs Lovecraft…

Tijdens het interbellum bloeit in Europa dus een groot aantal sektes, loges of cenakels die de grondbeginselen van de theosofie gemeen hebben en in Duitsland zelfs de ariosofie die door Guido von List werd aangeprezen. Dat geldt ook voor het Thule-genootschap, dat een fascinatie voor runen, Germaans nationalisme, van Helena Blavatsky geërfd racisme en judeofobie in zich verenigde.

EEN LAMA IN BERLIJN

In januari 1933 grijpt Adolf Hitler de macht. Datzelfde jaar verschijnt, onder het pseudoniem Teddy Legrand, een merkwaardige spionageroman: *De zeven koppen van de groene draak*. Twee geheim agenten, een Fransman en een Brit, infiltreren in een mysterieuze vereniging die zich inzet voor de komst van het communisme en het nationaalsocialisme. Hun onderzoek voert hen langs de fine fleur van het spiritualistische milieu in de jaren dertig; Gjoerdzjiev, Rudolf Steiner en Gérard Encausse, te midden van andere diabolische goe-

Overgangstoestand van de gasgevulde buik.

roes, spelen er een belangrijke rol in. In Berlijn, in een statig pand, de avonturen van Fu Manchu waardig, ontmoeten de twee agenten uiteindelijk de 'onbekende Superieur' die aan de touwtjes trekt van het internationale complot: een Tibetaanse lama met fluorescerend groene handschoenen, die de sleutels van het geheime koninkrijk 'Aggharti' in handen heeft, een van de zeven koppen van de groene draak die met occulte acties Europa naar de chaos voert. Deze kwade geniën hebben achtereenvolgens aartshertog Franz-Ferdinand, Raspoetin, de laatste tsaar van Rusland, de financier Ivar Kreuger en de Israëliet Walter Rathenau gemanipuleerd of uit de weg geruimd. Omdat de twee spionnen doen alsof ze opdrachten uitvoeren voor een consortium van grote Angelsaksische banken om met het hoofd van de samenzwering over een entente te onderhandelen, maakt de lama met de groene handschoenen een afspraak voor hen met 'De man met de twee Z's', een pseudoniem waarachter de schrijver ons duidelijk Adolf Hitler en de swastika (de verstrengelde Z's) laat herkennen.

Kijk, nu wordt het interessanter...

Einde van een zeer slechte roman waarin je lukrake verwijzingen vindt naar de *Protocollen van de Wijzen van Zion*, naar Jean Marquès-Rivière, die terugkomt uit een Tibet waar hij nooit is geweest, naar de waarheidsmacht van de peyote of naar het 'voor de gewone mens onbevattelijke' – maar voor ingewijden waarneembare! – fluïdum van de Tibetaanse gebedssnoeren… Een soort complotthriller avant la lettre, waarin waarheid en leugen worden vermengd met de valse pretentie een verschrikkelijke samenzwering te onthullen.

Ik zal je nog veel meer vertellen, Paul, maar de ontdekking van deze roman is cruciaal geweest. Besef je dat wel? Het is een simpel literair motief, meer niet, waarop de connectie tussen het nazisme en Tibet gebaseerd is!

DE TIBETAANSE KADAVERS

De tweede trap van mijn raket ontstaat pas vanaf 1960. Louis Pauwels (voormalig aanhanger van Gjoerdzjiev!) en Jacques Bergier publiceren *De dageraad der magiërs*. Onder de dekmantel van een onderzoek naar gebieden die uitgesloten zijn van de officiële wetenschap presenteren de schrijvers een ongelooflijke mengelmoes van fabels over alchemie, buitenaardse wezens, paranormale verschijnselen en verdwenen beschavingen als erkende waarheden. In dit 'brevier van de goedgelovigheid' komt de mythe pas tot volle wasdom. We vinden er de 'monnik met de groene handschoenen' van Teddy Legrand. De 'onbekende Superieuren' van Blavatsky, de energie van de 'Vril' van Edgar Bulwer-Lytton, de occulte doelstellingen van de expeditie van Schäfer, de theorie van de 'holle aarde', de bevroren manen van Hörbiger, enz. In hun schrijfsels wordt het Thule-genootschap het magische centrum van het Derde Rijk, een zwarte orde die in staat is de werkelijkheid te

Overgangstoestand van zwarte larvenlegers.

veranderen vanwege de geheime band van de
ingewijden met Tibet!

Die sinistere verhalen worden niet als zo-
danig aan de kaak gesteld, maar krijgen de
vorm van verschrikkelijke openbaringen. De
knoeierij is des te doeltreffender omdat bij-
komstige details op elkaar worden gestapeld
en geschiedenis met fictie wordt verknoopt,
allemaal onder het mom van onpartijdigheid.

Om deze cryptogeschiedenis te vervolmaken, beamen Pauwels en Bergier weer de aanwezigheid van Tibetaanse monniken in Duitsland: 'In 1926,' schrijven ze, 'vestigt zich een
kleine hindoeïstische en Tibetaanse kolonie
in Berlijn en München. Op het moment dat
de Russen Berlijn binnentrekken, vindt men
tussen de lijken duizend zelfmoordenaars,
in Duits uniform, zonder papieren of onder-
scheidingstekens, van het Himalayaanse ras.'

Het is de enige keer dat er melding wordt
gemaakt van iets wat zou kunnen lijken op de
Tibetaanse Brigades van Bastien, maar het   *Shit!*
klopt niet. Engelhardt heeft laten doorschemeren dat deze fantasie misschien gebaseerd
was op de aanwezigheid van een aantal Kal-
mukken in Berlijn aan het eind van de oorlog. Deze Tibetaans boeddhistische volkeren
van Mongoolse oorsprong waren onderdrukt
door de Russische revolutie en gedeporteerd
door Stalin. Dankzij de belofte dat hun land
onafhankelijk zou worden hebben er inderdaad Kalmukse infanterieregimenten aan de
kant van de Duitsers tegen de Sovjet-Unie ge-

vochten. Tenzij dat gewoon weer een fabel is die uitgaat van het SS-korps *Freies Indien* dat in 1941 door Chandra Bose, de pronazistische Indiase leider, was opgericht.

Je hebt geen idee hoeveel succes dit boek had! (Zelfs je grootmoeder heeft het me indertijd cadeau gedaan…) Net als het tijdschrift *Planète,* waarin Pauwels en Bergier de geestdrift van hun lezers bleven voeden. Het was alsof ze een bres in de rede hadden geslagen. Daar joeg een heel ongunstige wind doorheen.

DE LANS VAN LONGINUS

In 1972 schrijft Trevor Ravenscroft *De lans van het lot*, een roman waarin hij voortborduurt op de occulte macht van de lans van Longinus, de legionair die de zijde van Christus doorboorde. De nazi's, stelde hij, hadden hemel en aarde bewogen om die lans te bemachtigen. Alle legendes die door *De dageraad der Magiërs* werden uitgevent worden hier bewerkt en opgeluisterd met nieuwe beuzelpraat. De roman van Aleister Crowley, *Moonchild*, levert de auteur materiaal om Hitler onder invloed van peyote op te voeren, terwijl hij een duivels ritueel uitvoert om het 'Maankind' gestalte te geven! De Tibetaanse gemeenschappen uit het koninkrijk Agharta die zich in Duitsland hebben gevestigd, hebben voortaan een naam: de 'gemeenschap van de groene Mannen'; zeven leden van de 'Japanse gemeenschap van de groene draak' hebben zich bij hen gevoegd. Maar in de laatste maanden van de oorlog worden de Tibetaanse

Overgangstoestand van heel dat lijf, gevuld met een soort adem.

Camera's in de aanslag!

lama's door de nazi's veracht omdat ze er niet in zijn geslaagd hun satanische macht in dienst van het *Reich* te stellen. Omdat ze op last van Hitler geen voedsel meer krijgen, plegen ze zelfmoord. Wanneer de Russen Berlijn innemen, vinden ze alleen hun ontklede lijken, netjes gerangschikt, elk met een ceremonieel mes in de buik!

DE GRAAL

Aan de mythe van de Tempeliers voegt Jean-Michel Angebert de queeste naar de graal toe. In een tekst die in 1971 is verschenen, *Hitler en de katharentraditie,* beweert hij dat de nazi's de graal zouden hebben gezocht en gevonden, midden in de Ariège, zoals het hoort, in Montségur…

Deze fabel is gebaseerd op de hersenspinsels van de SS-'archeoloog' Otto Rahn, gespecialiseerd in de Parsifallegende en auteur van een Luciferaanse mystiek waar de huidige neonazi's dol op zijn. Uitgaande van een passage in Jesaja, in de Lutherbijbel, stelt hij zich een pooltop voor, symbolisch voor de noordse traditie, die hij tegenover de gewijde toppen van de Hebreeuwse wereld plaatst: 'Met het *Hof van Lucifer* bedoel ik de mensen van noords bloed die, uit trouw aan dat bloed, als doel van hun queeste naar het goddelijke een *berg der samenkomst in het verre Middernacht* hebben gekozen, en niet de berg Sinaï of de berg Zion in het Nabije Oosten.'

Dat doet je vast ergens aan denken, hè?

Ik zal ten hemel opklimmen, ik zal mijn troon boven de sterren Gods verhogen; en ik zal mij zetten op den berg der samenkomst aan de zijden van het noorden*. Ik zal boven de hoogten der wolken klimmen, ik zal den Allerhoogste gelijk worden. Statenvertaling. Jesaja 14:12-15

* In de Franse Lutherbijbel is 'de zijde van het noorden' vertaald als *aux confins de Minuit*, ofwel de zijde van Middernacht, in navolging van de Duitse Lutherbijbel, waar *in der fernsten Mitternacht* staat.

Die Bastien, die is zijn 'Middernachtsberg' wel heel ver gaan zoeken!

Met *Adolf Hitler, de laatste avatar* (1982), gaat de Chileen Miguel Serrano nog een stap verder: hij verplaatst het koninkrijk Agharta naar Antarctica! Aan hem danken we het idee van gewapende vliegende schotels met een basis op de Zuidpool, zoals de 'zwarte zon' of de 'groene straal' die de ultieme confrontatie met de gedegenereerde wereld afwachten om te laten zien wat ze kunnen. Serrano, ambassadeur van zijn land in India, schrijft zijn boek ter meerdere eer en glorie van Hitler en komt weer aanzetten met het wereldwijde Joodse complot tegen de raszuivere ariërs die proberen de volmaaktheid van de Hyperboreeërs te herstellen.

HET COMPLOT

Voeg er nog een zoveelste roman aan toe, *Genesis* (1980) van W.A. Harbinson, waarin gesproken wordt over een Amerikaanse aanval aan het eind van de jaren veertig op de Duitse poolbasis, die niet te verwoesten bleek, ondanks drie atoombommen die er in 1958 op werden geworpen, en dan is alles gereed voor een laatste transformatie van de mythe: er is een internationaal complot om de 'waarheid' voor ons te verbergen.

DE PROTOCOLLEN VAN ZION

Dit complot, Paul, is de kernkop van de raket. De 'Rothschilds, de Rockefellers en consorten' zouden fortuinen hebben uitgegeven

Overgangs-toestand van onrustig teefje achter de rotsen.

om de heilzame mystieke ideologie van de nazi's zwart te maken. Als je moet geloven wat daar geschreven staat, hebben die 'bankiers met haakneus', die 'instinctieve geniën van de geldwereld' in de *Protocollen van Zion* bekend dat ze een 'Joodse wereldregering' willen installeren, te beginnen met de heerschappij over Palestina. Zo zouden ze de vrijmetselaarssekte van de illuministen in Beieren nieuw leven hebben ingeblazen en in hun arrogantie zo ver zijn gegaan dat ze het symbool van hun machinaties op elke Amerikaanse dollar hebben gedrukt!

Je weet net zo goed als ik dat de tekst van de *Protocollen van Zion* een vervalsing is die in 1901 door de geheime politie van de tsaar in elkaar werd geknutseld om de pogroms in Rusland te legitimeren. Iedereen wordt geacht dat te weten sinds 1921, toen Philip Graves aantoonde dat het een apocrief document is. Maar nu wordt dat vod weer aangehaald door mensen die de zogenaamde Joodse samenzwering van de 'illuminati' tegen het blanke ras aanklagen. In hun handen, bezweren ze, is zelfs de ark des verbonds een 'astrale accumulator', een geheim wapen bestemd voor 'magische operaties'!

Een parafrase op de Gesprekken *in de hel tussen Machiavelli en Montesquieu van Maurice Joly. Heb je me vaak genoeg verteld...*

EEN NIEUWE ZIONISTISCHE WERELDORDE
En daar zijn we dan, Paultje: het is weer mijn fout, jouw fout, die van alle Joden die heersen over de aardbol aan het hoofd van een 'nieuwe zionistische wereldorde'! De Joden maken

niet alleen deel uit van duistere machten die de Hitleriaanse opmars naar het Licht hebben tegengewerkt, ze hebben ook het zwijgen van de heidenen gekocht.

In dat paranoïde systeem kunnen de Tibetanen kiezen tussen de pest en de cholera: ofwel ze vormen een slavenhoudende feodale elite waar je vooral geen medelijden mee moet hebben, ofwel ze zijn trouwe bondgenoten van de nazi's; je snapt dat dit de Chinese regering goed uitkomt!

Mama… wanneer hou je nou eens op? Heb je nou nog geen genoeg van die verhalen?

Het lijkt net of het militante antisemitisme dat in de jaren dertig in Duitsland heerste zich over de planeet heeft verspreid. Wat een venijn, Paul, in de riolen van de menselijke ziel! Zoveel wrok, zoveel rancune, zoveel misselijke verzinsels kunnen alleen maar tot de ergste gruwelen leiden. Je hebt niet het recht om ook maar een enkel gebaar aan die dodendans toe te voegen. De romanschrijver is de historicus van het heden, heb je een keer tegen me gezegd, met een citaat van Simon Leys, en de historicus is de romanschrijver van het verleden. Ik ben het er nog steeds niet mee eens, of alleen op deze voorwaarde: dat ze allebei hun best doen de waarheid te verzinnen.

Overgangstoestand onder gras en onder weelderige bloemen.

Sabbat mater…

Ik snap het wel, maar wat moet ik hier allemaal mee?

De opmerkingen in de kantlijn van het hoofdstuk Ontkenning bevatten korte fragmenten uit *Une Charogne* van Charles Baudelaire. Hiervoor hebben we de vertaling van Jan Pieter van der Sterre gebruikt (uit: *De mooiste van Charles Baudelaire*, Lannoo/Atlas, 2010). Hieronder volgt het volledige gedicht:

Een kadaver

Denk eens terug, mijn ziel, aan waar wij ooit op stuitten,
    die mooie, zachte zomerdag:
een walgelijk kadaver op een bed van keien,
    vlak bij een kromming in het pad.

Het brandde, zweette gif en leek een geile vrouw,
    zo met de benen in de hoogte,
en daarbij sperde het zijn gasgevulde buik
    onaangedaan, sarcastisch open.

Als om het gaar te stoven stonden zonnestralen
    te branden op dat rottend kreng.
Ze leek de Natuur wat ze ooit had vergaard
    in honderdvoud terug te geven.

De hemel blikte neer op dat prachtige karkas,
    dat openplooide als een bloem.
Het stonk er zo ontzettend dat je op die zoden
    voortdurend vreesde te bezwijmen.

Er gonsden vliegen boven die garstige buik,
    en zwarte larvenlegers kropen
eruit tevoorschijn, stroomden als een dikke brij
    langs al die lappen vol met leven.

Het deinde op en neer, die massa, als een golf,
    of schoot opborrelend omhoog.
Het leek of heel dat lijf gevuld met een soort adem,
    alleen in wemelingen leefde.

En uit die wereld rees een wondere muziek,
    als van de wind en stromend water,
of van de korenwan, waarin de zaaier graan
    in ritmes laat draaien en schudden.

.

De omtrekken vervaagden, werden tot een droom,
    een eerste schets die niet wil vlotten;
de schilder laat hem rusten, maakt hem later louter
    op kracht van zijn geheugen af.

Er liep achter de rotsen een onrustig teefje;
    ze wierp ons boze blikken toe
en loerde naar het lijk: het prijsgegeven stuk
    waarvan ze verder wilde eten.

– Toch zul ook jij zo worden, net zo'n vieze smeerboel,
    een berg afzichtelijke pulp,
jij sterre van mijn ogen, zon van mijn natuur,
    mijn liefste, passie van mijn leven!

Zo zie ook jij eruit, jawel, vorstin der gratie,
    als na het laatste sacrament
je tussen kale botten wegrot onder gras
    en onder weelderige bloemen.

Vertel dan, allerschoonste, aan het ongedierte
    dat jou al kussend op komt eten:
van mijn ontbonden liefdes hield ik steeds de vorm,
    het goddelijke wezen vast!

Om de leesbaarheid te bevorderen hebben we alle titels van geciteerde boeken vertaald, ook als er geen Nederlandse vertaling van bestaat. Dit zijn de oorspronkelijke titels van de geciteerde werken:

Salomon Reinach, *Répertoire de peintures grecques et romaines* (1922)

Louis Pauwels & Jacques Bergier, *Le Matin des magiciens* (1960)

Ella Maillart, *La Voie cruelle* (1947)

Jean Marquès-Rivière, *A l'ombre des monastères tibétains* (1929)

Alexandra David-Néel, *Mystiques et magiciens du Tibet* (1929)

Louis Jacolliot, *Les fils de Dieu* (1873)

Ferdynand Ossendowski, *Bêtes, Hommes et Dieux* (1922)

René Guénon, *le Roi du monde* (1927)

Edward Bulwer-Lytton, *The Coming Race* (1871)

Teddy Legrand, *Les Sept Têtes du dragon vert* (1933)

Trevor Ravenscroft, *Spear of Destiny* (1973)

Jean-Michel Angebert, *Hitler et la tradition cathare* (1971)

Miguel Serrano, *Adolf Hitler, el ultimo avatar* (1982)

W.A. Harbinson, *Genesis* (1980)

Meer lezen van Jean-Marie Blas de Roblès?

Eléazard heeft zich teruggetrokken in een spookstadje in Brazilië. Als correspondent van Reuters schrijft hij af en toe, maar werkt hij vooral aan de biografie van Athanasius Kircher, de beroemde wetenschapper en uitvinder uit de zeventiende eeuw. Zijn vrouw Elaine zoekt het avontuur en gaat fossielen zoeken in een haast ondoordringbare jungle. Dochter Moéma stort zich in het wilde uitgaansleven, totdat haar iets overkomt en ze haar leefstijl wil wijzigen. Drie verhaallijnen die leiden tot een gruwelijk eind.

Waar de tijgers thuis zijn won de Prix Médicis, de Prix du Roman FNAC en de Prix du Roman Jean Giono en was genomineerd voor de Prix Goncourt en de Prix Wepler.

Over *Waar de tijgers thuis zijn*:

'Een geweldige leeservaring. [...] Blas de Roblès is erin geslaagd eruditie, filosofie, Bijbelse thema's en een reflectie op onze wereld grandioos samen te brengen.' *NRC Handelsblad*

'Wervelend. Verbluffend. Meesterlijk. Fascinerend. Virtuoos.' *De Standaard*

'Het is indrukwekkend, het is doorbijten, het is genieten, het is een complete leeservaring.' Boekhandel Blokker, Heemstede

'*Unputdownable* op een manier waaraan Dan Brown nog een puntje kan zuigen, maar zonder banaal te worden. [...] Een heerlijke roman, met als niet geringste charme dat er geen normaal mens in voorkomt.' *Trouw*

'Een boek dat om de volle aandacht schreeuwt en die helemaal verdient.' *CJP.be*

'Een echte pageturner. [...] Virtuoos geschreven.' Boekhandel Vingerling, 's-Gravenzande

'Wat een fantastisch boek die tijgers!!! Ik hoop dat het nooit uit is! Zoveel verhalen, zoveel lagen, echt een boek voor mij. Ik wil naar Brazilië!' FNAC, Vlaanderen

'Wat een boek. Super de super.' Boekhandel Van der Velde, Leeuwarden

'Het verbaast met niks dat Blas de Roblès drie grote Franse prijzen met dit boek gewonnen heeft. De roman is uitermate geschikt voor leesclubs want er valt heel wat uit te pluizen en te bespreken. De diverse verhaallijnen die in dit boek zitten, maken het boek afwisselend, maar ook complex.' Boekhandel Roodbeen, Nijkerk